声に出して読みたい日本語

草思社

はじめに

この本は、暗誦《あんしょう》もしくは朗誦《ろうしょう》することをねらいとして編んだものです。したがって、ただ目で黙読するというのではなく、大きく声に出して詠《よ》み上げていってください。

第一章の始めから順々にやっていく必要はありません。自分の興味が湧くものをピックアップして、それを何度も声に出して味わってください。短いものや覚えたくなるものは暗誦し、長いものや覚えにくいと感じたものは詠み上げて朗誦を楽しむのでもよいと思います。

古いものには簡単な口語要約をつけましたが、言葉の内容にあまりとらわれすぎずに、まずは日本語としての調子のよさや語感を楽しむとなじみが早くなると思います。

一人で暗誦・朗誦に励むのもなかなか味わいのあることではありますが、親子や友人同士などでやるといっそう明るく楽しくできます。ここに採録した文章はどれも調子がよいので、その文句に合ったリズムがだんだんわかってくると思います。テンポを速くし歯切れよく言ったほうがおもしろいものがある一方で、息を深く朗々と歌い上げるほうがいいものや、しみじみとつぶやくように口ずさむのがふさわしいものまで、いろいろなタイプを選んでみました。

日本語を声に出すときのヴァリエーションは、実に豊かです。歌舞伎や能・狂言、落語、文楽の義太夫節、琵琶法師《びわほうし》の語り、物売りの口上《こうじょう》、浪曲のうなり、和歌・俳句、詩吟など、プロの技にかかると、それぞれ違った魅力が出ます。共通しているのは、声を腹からしっかり出し、息づかいの技をこらすということです。自分の息づかいを楽しむ要領で日本語のヴァリエーションを味わってください。

人によって調子のよいものが得意な人もいれば、しみじみと語るのが性に合っている人もいると思います。お互いにあまり照れずに自分のスタイルで詠み上げてみると、自分ひとりでは気づきにくかった味わい方も見つけられると思います。

私自身の経験でも、友だちといっしょに覚えたのが思い出に残っています。落語の『寿限無《じゅげむ》』や『般若心経《はんにゃしんぎょう》』などは、小中学校のときにクラスで大流行しました。『国定忠治《くにさだちゅうじ》』などは数人で役を振ってやるのもいいし、一人で何役も声色を変えてやるのも宴会芸として楽しいと思います。

テキストを選ぶ基準としては、まずこれまでに多くの人に愛誦《あいしょう》されてきたスタンダードなものを選ぶことを基本としました。「祇園精舎《ぎおんしょうじゃ》の鐘の声」（平家物語）や「春はあけぼの」（枕草子）、藤村の『初恋』など、あまりにも有名なものも、今は皆が覚えているとはかぎらないので、採録しました。

古文の教科書のようになってしまうと、少々面白味に欠けるので、『がまの油』や早口言葉など、子どもが言葉遊びとしても楽しめるものをできるだけ採り入れてみました。基本はリズム・テンポ・響きを楽しむということなので、いわゆる名文でも口に出してみたときにそれほど魅力的でないものは外しました。私自身の思い入れが深いものも若干入れてしまいましたが、アンソロジーというよりは、暗誦・朗誦のための基本的なテキストとなるように心がけました。文の並べ方は、時代順ではなく、意識的にバラバラにしてみました。各章は、声に出してみたときの身心の感覚を主な基準としてグループ分けしたものです。これも厳密な分類ではないので、気楽に自分のとっつきやすいところから入っていただければと思います。

この本は、読むというよりは、使い切ってもらうのにふさわしいものです。とくに親子で暗誦文化をいっしょに楽しみ、継承していただければ最高です。

各文の出典は、巻末に掲載しました。表記の仕方に数種類ある場合は、一般的に読みやすいもの、なじみがあるものを選びました。表記は基本的に出典に従いましたが、振り仮名については現代仮名づかいに変えさせていただきました。また、漢字は旧字体を新字体に改めたところもあります。子どもでも声に出して読めるようにしたいという思いからです。ご了承ください。総ルビにしたのも同じ理由です。

ここにとりあげたものは、日本語の宝石です。暗誦・朗誦することによって、こうした日本語の宝石を身体の奥深くに埋め込み、生涯にわたって折に触れてその輝きを味わう。こうした「宝石を身体に埋める」イメージで楽しんでください。

著　者

声に出して読みたい日本語——もくじ

一、腹《はら》から声《こえ》を出《だ》す

二、あこがれに浮《う》き立《た》つ

三、リズム・テンポに乗《の》る

四、しみじみ味《あじ》わう

五、季節《きせつ》・情景《じょうけい》を肌《はだ》で感《かん》じる

六、芯《しん》が通《とお》る・腰肚《こしはら》を据《す》える

七、身体《しんたい》に覚《おぼ》え込《こ》ませる・座右《ざゆう》の銘《めい》

八、物語《ものがたり》の世界《せかい》に浸《ひた》る

一、腹《はら》から声《こえ》を出《だ》す

『弁天娘女男白浪《べんてんむすめめおのしらなみ》（白浪五人男《しらなみごにんおとこ》）』

河竹黙阿弥《かわたけもくあみ》

知《し》らざあ言《い》って聞《き》かせやしょう。浜《はま》の真砂《まさご》と五右衛門《ごえもん》が、歌《うた》に残《のこ》せし盗人《ぬすっと》の、種《たね》は尽《つ》きねえ七里ケ浜《しちりがはま》、その白浪《しらなみ》の夜働《よばたら》き、以《い》前《ぜん》をいやあ江《え》の島《しま》で、年季勤《ねんきづと》めの児ケ淵《ちごがふち》。百味講《ひゃくみ》でちらす蒔銭《まきせん》を、当《あて》に小皿《こざら》の一文子《いちもんこ》、百《ひゃく》が二百《にひゃく》と賽銭《さいせん》の、くすね銭《ぜに》せえだんだんに、悪事《あくじ》はのぼる上《かみ》の宮《みや》、岩本院《いわもといん》で講中《こうじゅう》の、枕探《まくらさが》しも度重《たびかさな》り、お手長講《てながこう》の札付《ふだつ》きに、とう〱島《とうしま》を追《お》いだされ、それから若衆《わかしゅ》の美人局《つつもたせ》、こゝや彼処《かしこ》の寺島《てらじま》で、小耳《こみみ》に聞《き》いた音羽屋《おとわや》の、似《に》ぬ声色《こわいろ》で小《こ》ゆすりかたり、名《な》さえ由縁《ゆかり》の弁天小僧菊之助《べんてんこぞうきくのすけ》たァ、おれがことだ。

歌舞伎の醍醐味《だいごみ》は、「きめる」ところにある。セリフにせよ動きにせよ、ピシッときまると、見ている側にも一本筋が通ってスカッとする。このセリフは、白浪（泥棒）五人男の一人、弁天小僧菊之助が正体を現して名乗るときのものだ。髪を結ったきれいな女性が、真っ赤な長襦袢《ながじゅばん》から肌をむき出してキセルを振りまわしながら、泥棒の正体を開き直って現す。遠山の金さんの悪党版とも言えるが、女から男へ豹変するぶんインパクトが強い。七五調で長く引っぱり最後できゅっと「締《し》める」のである（違う締め方もあるが、一般的に知られている締めを採った）。

私は、歌舞伎の「六方《ろっぽう》」の型をワークショップのメニューにしている。手足を箱形にしてカクカクとした動きで前進する型だが、腰や肚《はら》がしっかりきまっていないと、上下動が激しくなって格好がつかない。手足の先と腰をしっかりつなげ、骨を締め、身を固めて止めるのがポイントだ。これは空手にも通じる。板東八十助《ばんどうやそすけ》（現・三津五郎《みつごろう》）がテレビで、立った姿勢からいきなりどんと尻をついて見せ、息を詰めるのがコツだと解説していた。息を深く吸ってぐっと詰める呼吸が、動きにメリハリを与える。見得《みえ》は、公共空間で自分をプレゼンテーションする日本の貴重な技だ。

口語要約

知らないなら言って聞かせましょう。「石川や浜の真砂は尽きるとも世に盗人の種は尽きまじ」と石川五右衛門が辞世の句に残したとおりの盗人（白浪）で、少年時代は寺の稚児《ちご》勤め、賽銭くすねて博打《ばくち》をするうち悪事が増長、神仏詣りの客の枕銭を盗んで盗人連中の札付きとなり、島を追い出されてからは男色の美人局《つつもたせ》やらゆすりやらをやってきた、その名も江ノ島にゆかりの弁天小僧菊之助たァ俺のことだ。

宮沢賢治《みやざわけんじ》

『風《かぜ》の又三郎《またさぶろう》』

どっど　どどうど　どどう
青《あお》いくるみも吹《ふ》きとばせ
すっぱいくゎ《（か）》りんもふきとばせ
どっど　どどうど　どどうど　どどう

『高原《こうげん》』

海《うみ》だべがど　おら　おもたれば
やっぱり光《ひか》る山《やま》だたぢ《じ》やい
ホウ

髪毛《かみけ》　風吹《かぜふ》けば
鹿踊《ししおど》りだぢ《じ》やい

宮沢賢治は、地水火風の想像力の達人だ。たとえば地は、宝石から地層・火山岩・修羅《しゅら》の這《は》いまわる腐植《ふしょく》の湿地までヴァリエーションが豊富だ。なかでも風は賢治の作品全体に満ちている。物語は風に運ばれてくる。風を「どっどど　どどうど」と表現するのはふつうの感覚ではないが、声に出してみると、そんな風がある気がしてくる。転校生の又三郎のイメージにぴったりだ。風によって穏やかな日常がかき乱されて胸騒ぎが起こる。風は「異界」との通路である。中国語訳の「咚咚咚　咚咚咚　咚咚咚　咚咚／風吹青核桃飛／雨打酸木梨落／咚咚咚　咚咚咚　咚咚咚　咚咚」（周龍梅訳）、「哆哆哆　哆哆哆　哆哆哆　哆哆」（杜憶風訳）にも妙な迫力とおかしみがある。

賢治は、風の中を大股で歩きながら詩をつくるのが好きだった。首からペンをぶらさげて、いい文句が浮かぶと書きつけ、ときどき「ホッホウ」と叫んでとびはねた。『高原』の「ホウ」にも賢治の祝祭的身体があふれている。風はインスピレーションを吹き込む。風にさらされた身体の強さと透明さが、賢治の言葉のリズムと息吹《いぶき》を支えている。

てまえ持《も》ちいだしたるは、四六《しろく》のがまだ。四六《しろく》、五六《ごろく》はどこでわかる。前足《まえあし》の指《ゆび》が四本《よんほん》、あと足《あし》の指《ゆび》が六本《ろっぽん》、これを名《な》づけて四《し》六《ろく》のがま。このがまの棲《す》めるところは、これよりはるーか北《きた》にあたる、筑波山《つくばさん》のふもとにて、おんばことというつゆ草《くさ》を食《く》らう。このがまのとれるのは、五月《ごがつ》に八月《はちがつ》に十月《じゅうがつ》、これを名《な》づけて五八《ごはっ》十《そう》は四六《しろく》のがまだ、お立《た》ちあい。このがまの油《あぶら》をとるには、四方《しほう》に鏡《かがみ》を立《た》て、下《した》に金網《かなあみ》をしき、そのなかにがまを追《お》いこむ。がまは、おのれのすがたが鏡《かがみ》にうつるのをみておのれとおどろき、たらーり、たらりと油汗《あぶらあせ》をながす。これを下《した》の金網《かなあみ》にてすきとり、柳《やなぎ》の小枝《こえだ》をもって、三七二十一日《さんしちにじゅういちにち》のあいだ、とろーり、とろりと煮《に》つめたるがこのがまの油《あぶら》だ。

「がまの油売り」は、物売り口上《こうじょう》のエースだ。縁日《えんにち》で、化け物屋敷などの見せ物や物売りが立ち並ぶなかでもとりわけ目立つ。黒紋付きの着物に、袴《はかま》をはき、白はちまき、白だすきという恰《かっ》好《こう》だ。口上は「**さあさ、お立ちあい、ご用とおいそぎのないかたは、ゆっくりと聞いておいで**」という文句から始まる。がまの油は痔《じ》や腫《は》れ物に効くが、その効能の最たるものは刀で切った傷口の血がぴたりと止まるというものだ。刀の切れ味を宣伝する文句も「さ、**一枚の紙が二枚に切れる。二枚が四枚、四枚が八枚、八枚が十六枚、十六枚が三十二枚**」と調子がいい。

口上も物売りの手段だが、セールストーク特有のまとわりついてくるいやらしさがまったく感じられない。歯切れとテンポの良さに加えて、内容の徹底したばかばかしさも見逃すわけにはいかない。がまが自分の姿を鏡で見て、たらーりたらりと油汗を流すという図は、荒唐無稽《こうとうむけい》でありながら、なぜかクリアに想像できてしまう。あり得ないことにリアリティを与えてしまう言葉の力が見事だ。やたらと具体的な数字を多用するのも口上の技だ。こうした口上の歯切れのいい魅力は、背筋がまっすぐ伸びた張りのある身体から生まれる。

『平家物語《へいけものがたり》』（巻第一《まきだいいち》、祇園精舎《ぎおんしょうじゃ》）

祇園精舎《ぎおんしょうじゃ》の鐘《かね》の声《こえ》、諸行無常《しょぎょうむじょう》の響《ひびき》あり。娑羅双樹《しゃらそうじゅ》の花《はな》の色《いろ》、盛者必衰《じょうしゃひっすい》の理《ことわり》をあらはす《わ》。おごれる人《ひと》も久《ひさ》しからず、唯春《ただはる》の夜《よ》の夢《ゆめ》のごとし。たけき者《もの》も遂《つい》にはほろびぬ、偏《ひとえ》に風《かぜ》の前《まえ》の塵《ちり》に同《おな》じ。遠《とお》く異朝《いちょう》をとぶらへ《え》ば、秦《しん》の趙高《ちょうこう》・漢《かん》の王莽《おうもう》・梁《りょう》の周伊《しゅうい》・唐《とう》の禄山《ろくさん》、是等《これら》は皆旧主先皇《みなきゅうしゅせんこう》の政《まつりごと》にもしたがはず《わ》、楽《たのし》みをきはめ《わ》、諫《いさめ》をも思《おも》ひい《い》れず、天下《てんか》の乱《みだ》れむ《ん》事《こと》をさとらずして、民間《みんかん》の愁《うれ》ふ《う》る所《ところ》を知《し》らざッしかば、久《ひさ》しからずして、亡《ぼう》じにし者《もの》どもなり。近《ちか》く本朝《ほんちょう》をうかがふ《う》に、承平《しょうへい》の将門《まさかど》、天慶《てんぎょう》の純友《すみとも》、康和《こうわ》の義親《ぎしん》、平治《へいじ》の信頼《のぶより》、是等《これら》はおごれる心《こころ》もたけき事《こと》も、皆《みな》とりぐ《どり》にこそありしかども、まぢかくは六波羅《ろくはら》の入道前太政大臣平朝臣清盛公《にゅうどうさきのだいじょうだいじんたいらのあつそんきよもりこう》と申《もう》しし人《ひと》の有様《ありさま》、伝《つた》へ承《うけたまわ》るこそ、心《こころ》も詞《ことば》も及《およ》ばれね。

この有名な冒頭部の印象からするとひたすらはかなげなようだが、『平家物語』は実は肉体の文学である。登場人物たちは実によく動きまわる。よく笑うし、よく泣く。声も大きく、川の向こうにまで響きわたる。チャレンジ精神も旺盛で、先陣争いもにぎやかだ。平家の女性が舟の上に掲げた扇を那須与一《なすのよいち》が弓矢で射落とす名場面にしても名誉を重んじた精神のなせる技である。

平家の兵たちも源氏に攻められると、大騒ぎであわててよく動く。「**とる物もとりあへず、我さきにとぞ落ゆきける。あまりにあわてさわいで、弓とる物は矢を知らず、矢とる者は弓を知らず。人の馬にはわれ乗り、わが馬をば人に乗らる**」という具合だ。記述も派手で、清盛死去の場面では、高熱の清盛が水風呂に入ると水が沸騰して湯になってしまう。

『平家物語』を肉体の文学として読む読み方を私は小林秀雄に教えられた。生き生きした肉体は、黒澤明の映画『七人の侍』に出てくる三船敏郎の過剰な動きを思い起こさせる。合戦のど派手な演出が黒澤映画を活気づけているように、『平家物語』の神髄も躍動する肉体にある。

『平家物語』を肉体の文学たらしめているもう一つの要素は、琵琶法師《びわほうし》の語りだ。盲目の検校《けんぎょう》が琵琶を弾き鳴らしながら語る情景はそれだけで凄《すご》みがある。小泉八雲《やくも》の『耳なし芳一《ほういち》』の壇ノ浦の合戦の語りの場面は圧巻だ。櫂《かい》をあやつる音、船の突きすすむ音、風を切って飛ぶ矢の音、人びとのおたけびや足を踏みならす音、甲冑《かっちゅう》に太刀《たち》のぶちあたる音、斬られて海中に落ちる音など、驚くほどたくみに琵琶を弾き鳴らした、とある。琵琶法師の語りの技は、聴いている平家の亡霊たちの肉体を揺さぶり、悲痛な叫びをあげさせる。

口語要約

この世は常なく変わっていくものと祇園精舎の鐘は響き、盛んな者は衰えると沙羅双樹の花の色は告げる。奢れる者久しからず、春の一夜の夢のごとくはかない。猛々《たけだけ》しい者もやがて滅びるのは風に漂う塵と同じである。遠く外国の例を尋ねてみると、秦の宦官《かんがん》の趙高らはいずれも本来の政《まつりごと》を行わず、楽しみを極め、諫《いさ》めを聞かず、国を乱して人心が離れ、滅びた。近くは日本でも承平の乱の平将門らが武力によって世を乱し、奢れる心も猛悪な事もとりどりだったが、最近の平清盛と申す人の奢り高ぶり猛悪なさまは想像も及ばず筆舌《ひつぜつ》に尽くしがたいほどだ。

『国定忠治《くにさだちゅうじ》　赤城山《あかぎやま》』（国定忠治《くにさだちゅうじ》　赤城天神山不動の森《あかぎてんじんやまふどうのもり》）　行友李風《ゆきともりふう》

忠治《ちゅうじ》　赤城《あかぎ》の山《やま》も今夜《こよい》を限《かぎ》り、生《うま》れ故郷《こきょう》の国定《くにさだ》の村《むら》や、縄張《なわば》りを捨《す》て国《くに》を捨《す》て、可愛《かわい》い乾分《こぶん》の手前《てめえ》たちとも、別《わか》れ別《わか》れになる首途《かどで》だ。

定八《さだはち》　そう云《い》や何《なん》だか嫌《いや》に寂《さび》しい気《き》がしやすぜ。

雁の声《かりのこえ》

巌鉄《がんてつ》　あゝ、雁《かり》が鳴《な》いて南《みなみ》の空《そら》へ飛《と》んで往《い》かあ。

忠治《ちゅうじ》　月《つき》も西山《にしやま》に傾《かたむ》くようだ。

定八《さだはち》　俺《おれ》ァ明日《あした》ァどっちへ行《い》こう？

忠治《ちゅうじ》　心《こころ》の向《む》くまゝ足《あし》の向《む》くまゝ、あても果《はて》しもねえ旅《たび》へ立《た》つのだ。

定八《さだはち》
巌鉄《がんてつ》　親分《おやぶん》!

笛《ふえ》の音《ね》が聞《き》こえる

定八《さだはち》　あゝ、円蔵兄哥《えんぞうあにい》が……。

忠治《ちゅうじ》　あいつもやっぱり、故郷《こきょう》の空《そら》が恋《こい》しいんだろう。忠治《ちゅうじ》、一刀《いっとう》を抜《ぬ》いて溜池《ためいけ》の水《みず》に洗《あら》い、刃《やいば》を月光《げっこう》にかざし　加賀《かが》の国《くに》の住人《じゅうにん》小松五郎義兼《こまつごろうよしかね》が鍛《きた》えた業物《わざもの》、万年溜《まんねんだめ》の雪水《ゆきみず》に浄《きよ》めて、俺《おれ》にゃあ生涯手前《しょうがいてめえ》という強《つよ》い味方《みかた》があったのだ。

新国劇《しんこくげき》十八番の名場面である。数人で掛け合いでやるのもおもしろいが、雁の声や笛の音を口でまねて一人でやるのも芸としてはなかなかウケる。国定忠治（一八一〇〜五〇）は、上州《じようしゆう》（群馬県）国定村生まれの江戸後期の侠客《きようかく》である。博打渡世《ばくちとせい》で幕府に身を追われ、最後は磔《はりつけ》に処せられるが、忠治の縄張りは治安がよく、土地の人々は忠治を畏敬していたと言われる。このあたりは、高橋敏『国定忠治』（岩波新書）に詳しい。

新国劇は大正六年、歌舞伎と新劇のあいだをいく国民演劇のスタイルとして沢田正二郎が結成した劇団で、その後、辰巳柳太郎、島田正吾が中心となった。忠治のセリフは歌舞伎風にきめられる。最後の「強い味方があったのだ」は、ぐっと立てた刀をにらんで、「強い味方が」のあとに一拍おいて、ゆったりと「あったのだァ」と背筋を伸ばしてきめるのが約束である。

私が小学生の頃、近所に芝居好きの兄ちゃんがいて、子どもを集めて新国劇のような劇団をつくっていた。その劇団はなぜか野球チームもやっていたので、つい私も入ってしまい、『子連れ狼』の大吾郎《だいごろう》役になって「ちゃん！」と叫んでいたりしたのだった。殺陣《たて》で派手に死ぬ役はやってみると意外に気持ちがいいもので、癖になった。すっかり忘れていた過去だが、今あの青年はどうしているのだろうか。

『竹《たけ》』

光《ひか》る地面《じめん》に竹《たけ》が生《は》え、
青竹《あおたけ》が生《は》え、
地下《ちか》には竹《たけ》の根《ね》が生《は》え、
根《ね》がしだいにほそらみ、
根《ね》の先《さき》より繊毛《せんもう》が生《は》え、
かすかにけぶる繊毛《せんもう》が生《は》え、
かすかにふるえ。

萩原朔太郎《はぎわらさくたろう》

かたき地面《じめん》に竹《たけ》が生《は》え、
地上《ちじょう》にするどく竹《たけ》が生《は》え、
まつしぐらに竹《たけ》が生《は》え、
凍《こお》れる節節《ふしぶし》りんりんと、
青空《あおぞら》のもとに竹《たけ》が生《は》え、
竹《たけ》、竹《たけ》、竹《たけ》が生《は》え。

萩原朔太郎のスタイルは「ふるえるエロティシズム」だ。りんりんと垂直に伸びる竹の鋭い強さの根本に、根の先の繊毛《せんもう》がふるえている。このイメージは独自で強烈だ。この竹のイメージは朔太郎そのものである。『月に吠える』の序で、北原白秋は朔太郎をこう評している。

「君の気稟《きひん》は又譬《たと》へば地面に直角に立つ一本の竹である。その細い幹は鮮やかな青緑で、その葉は華奢《きやしや》でこまかに動く。たつた一本の竹、竹は天を直観する。而《しか》も此《この》竹の感情は凡《すべ》てその根に沈潜して行くのである。根の根の細《こま》かな繊毛のその岐《わか》れの殆《ほとん》ど有るか無きかの毛の尖《さき》のイルミネエシヨン、それがセンチメンタリズムの極致とすれば、その毛の尖端にかじりついて泣く男、それは病気の朔太郎である」

『月に吠える』には、「**数知れぬ髪の毛がふるへ出し**」や「**ふるへるさびしい草を見つめる**」、「**ふるへる、わたしの孤独のたましひよ**」など、常に「ふるえる魂」が根源にある。ふるえる魂を持ちつづけることは至難の業《わざ》である。もっと簡単に強さを手に入れる道もある。ましてや、ふるえる魂が捉えたものを言葉にするのには莫大なエネルギーが必要だ。言葉にすることは、自分と他者にまっすぐ向き合うことであり、すなわち垂直に屹立《きつりつ》することである。繊毛のようにふるえる魂が屹立するエロティシズム。この稀有《けう》な生のスタイルのイメージに私たちは惹《ひ》かれる。

『森《もり》の石松《いしまつ》　金比羅代参《こんぴらだいさん》』　二代《にだい》・広沢虎造《ひろさわとらぞう》

〽旅《たび》ゆけば、駿河《するが》の国《くに》に茶《ちゃ》の香《かお》り、名代《なだい》なる東海道《とうかいどう》、名所古蹟《めいしょこせき》の多《おお》いところ、中《なか》に知《し》られる羽衣《はごろも》の、松《まつ》とならんでその名《な》を残《のこ》す、海道一《かいどういち》の親分《おやぶん》は、清水港《しみずみなと》の次郎長《じろちょう》の、あまた身内《みうち》のある中《なか》で、四天王《してんのう》の一人《いちにん》で、乱暴者《らんぼうもの》と異名《いみょう》とる、遠州《えんしゅう》森《もり》の石松《いしまつ》の、苦心談《くしんだん》のお粗末《そまつ》を、悪声《あくせい》ながらも勤《つと》めましょう。

大政《おおまさ》「石松《いしまつ》、そこに坐《すわ》れ、てめえくれえ正直《しょうじき》なやつはねえぞ」

石松《いしまつ》「おッ、世《よ》の中《なか》で、野郎《やろう》うそつきだ、てめえぐれえ悪《わる》いやつはねえとか、親不幸《おやふこう》な者《もの》はないとかという小言《こごと》は聞《き》いたことはあるが、正直《しょうじき》なやつはねえという小言《こごと》は聞《き》いたこたァねえ、え正直《しょうじき》は人《ひと》の宝《たから》というもんだ」

大政《おおまさ》「おめえの正直《しょうじき》は上《うえ》に馬鹿《ばか》がつくよ」

『森《もり》の石松《いしまつ》　三十石道中《さんじっこくどうちゅう》』

石松《いしまつ》「飲《の》みねえ〳〵《のみねえのみねえ》、寿司《すし》を喰《く》いねえ寿司《すし》を……、もっとこっちい寄《よ》んねえ、おう江戸《えど》ッ子《こ》だってね」

船客《せんきゃく》「神田《かんだ》の生《う》まれよ」

石松《いしまつ》「そうだってねえ、そんなに何《なに》か次郎長《じろちょう》にゃいい子分《こぶん》がいるかい」

次郎長一家のなかでも喧嘩っ早いがどこか憎めない石松が、親分の代わりに讃岐《さぬき》の金比羅様に刀を納めに行く役目を頼まれるくだりである。大政は石松の兄貴分だ。有名な「江戸っ子だってね寿司食いねえ」は、帰りの舟の中で次郎長の噂話をしている江戸っ子の話に割り込んでいくときのセリフだ。石松は酒や寿司をおごりながら相手をおだてて、次郎長の子分のなかで一番強いのは誰かと聞きつづける。もちろん自分の名前が出てくるのを楽しみにしてのことなのだが、いつまでたっても出てこなくてイライラするという、二代・広沢虎造得意の浪曲《ろうきょく》である。

浪曲（浪花節《なにわぶし》）は、安齋竹夫編著『浪曲事典』（日本情報センター）によれば「チョンガレ」というものを祖としている。浪花節のあの独特の声は、山伏《やまぶし》たちの祭文《さいもん》の発声をまねたもので、これに各地の音頭瞽女《ごぜ》が語る口説きや関西の浮かれ節、説経節などの節回しを採り入れた。講談のネタを消化した明治中期から大正期にかけて隆盛した。もともとが大道芸なので、庶民に訴える演目と節回しが特徴だ。昭和に入り戦時色が濃くなると浪曲も愛国心に通じるネタが多くなったが、大衆や前線の兵士たちは次郎長や国定忠治の侠客ものなどをリクエストしたということだ。

浪花節は、「うなる」スタイルである。腹の底から長く息を絞り出してくるのが、「うなる」だ。チューブを根本のほうからぎゅーっと絞り出していくように、からだを「絞る」のも浪花節の技である。からだの中をねじって声を絞り出す技も、衰退しつつある伝統的な身体文化だ。

『不識庵機山《ふしきあんきざん》を撃《う》つの図《ず》に題《だい》す』

鞭声粛々夜河《べんせいしゅくしゅくよるかわ》を過《わた》る
暁《あかつき》に見《み》る千兵《せんぺい》の大牙《たいが》を擁《よう》するを
遺恨《いこん》なり十年一剣《じゅうねんいっけん》を磨《みが》く
流星光底長蛇《りゅうせいこうていちょうだ》を逸《いつ》す

頼山陽《らいさんよう》

鞭声粛々夜過レ河
暁見千兵擁二大牙一
遺恨十年磨二一剣一
流星光底逸二長蛇一

「ベンセイシュクシュク」は詩吟《しぎん》の定番だ。詩吟を知らない人もたいてい、ここだけは聴き覚えがある。詩吟のポイントは、腹から声を出すことである。佐々木孝吾『定本詩吟集』によれば、詩吟にはいわゆる美声は必要ではなく、「丹田《たんでん》から生まれる、晴朗で豪快味のある声がふさわしい」とされ、「さび声」もまたよいとされている。漢詩の吟唱《ぎんしょう》は、江戸時代の中期から後期にかけて頼山陽や広瀬淡窓《たんそう》らの漢詩人が出た頃から幕末・維新にかけて隆盛した。広瀬淡窓の咸宜園《かんぎえん》という塾では詩吟を修養の一つにしていた。現在の詩吟法は、その節調《ふしちょう》を本流としている。

実際の詩吟を聴いてみると、窓もふるえる迫力がある。声が空気の振動だということがびっくりするくらい実感できる。魂が揺さぶられるような力がある。自分の身体を腹から背骨を通って振動させ、声の響きを通して空間全体を振動で満たすというのは、なんとも気持ちのいいことである。身体と空間が響きにおいてつながる経験は、宗教的体験の原型だ。

漢詩は、語の流れの良さ以上に、音の区切れの良さが魅力だ。一音一音をはっきりと声に出すのがポイントである。私たちは日常ではすべての音を均等にはっきりと発音していない。いわば流してしまっている。詩吟のように声をはっきり響かせると、響きとしての言葉の生命力を感じる。臍下丹田《せいかたんでん》（臍《へそ》の下のところで、下腹の内部にあり、気力が集まるとされるところ）に響く声が出せたときには、からだの中に中心軸が通る心地よさが生まれる。

口語要約

馬に当てる鞭の音も粛々、謙信の軍が夜の河を渡る。暁に布陣して迎える信玄の大軍。謙信は単騎、信玄に迫り剣光を閃かせて振り下すが逃がす。

『そぞろごと』

山《やま》の動《うご》く日来《ひきた》る。
かく云《い》えども人《ひと》われを信《しん》ぜじ。
山《やま》は姑《しばら》く眠《ねむ》りしのみ。
その昔《むかし》に於《おい》て
山《やま》は皆火《みなひ》に燃《も》えて動《うご》きしものを。
されど、そは信《しん》ぜずともよし。
人《ひと》よ、ああ、唯《ただ》これを信《しん》ぜよ。
すべて眠《ねむ》りし女今《おなごいま》ぞ目覚《めざ》めて動《うご》くなる。

与謝野晶子《よさのあきこ》

与謝野晶子は、「官能的肝《きも》っ玉《たま》姉さん」である。「**やは肌のあつき血汐にふれも見でさびしからずや道を説く君**」（みだれ髪）という短歌を初めて知ったときは、たまげた。まだまだ儒教全盛の明治三十年代にこんな歌があったとは。自我に目覚め「道を説く君」路線に入りかけていた私は、「うーん、たしかに寂しい気もする」と素直に感じ入ってしまったのであった。

晶子は、当時押し込められがちだった女性の感情を詠《うた》い、自我を解放させた。その大胆奔放さは、恋の官能に向けられただけでなく、『君死にたまふことなかれ』のように国家批判にまで至っている。日露戦争出征中の弟の無事を祈念したこの戦争批判の歌は、晶子の驚くべき肝《きも》の据わり方を示している。当時「**すめらみこと**（天皇）**は戦ひに／おほみづからは出でまさね**」と言い得た勇気には、感服してしまう。

官能と戦争批判はそれぞれ違う領域に属した事柄のようだが、どちらも生命をきっちり燃焼しきりたいという思いを根底に持っている。晶子は、子どもを総勢十一人産み育てた。これにもたまげる。そうした女の身体は、男には経験しようもない生命の感覚を経験したはずだ。命のたいまつにつぎつぎに灯をともしていく炎のような身体。この『そぞろごと』は「**元始、女性は太陽であつた**」（平塚らいてう）で有名な『青鞜《せいとう》』創刊号の巻頭文だが、自分の生身のからだこそ太陽だと晶子は感じていたのではなかろうか。

『すゑ《え》ひろがり』

（シテ）罷出《まかりいで》たる者《もの》は、此当《このあた》りにかくれもない、大果報《だいかほう》の者《もの》で御《ご》ざる。天下《てんが》治《おさま》り、めでたい御代《みよ》で御座《ござ》れば、此間《このあいだ》のあなたこなたの御参会《ごさんかい》は、おびたゞ《だ》しい事《こと》で御座《ござ》る。夫《それ》につき某《それがし》も、近日一族《きんじついちぞく》衆《しゅう》を申入《もうしいろ》うと存《ぞんず》る。又上座《またじょうざ》に御座《ござ》る御宿老《ごしゅくろう》へ、末広《すえひろ》がりを進《しん》上《じょう》申《もうそ》うと存《ぞんず》るが、某《それがし》が道具《どうぐ》の内《うち》に末《すえ》ひろがりが有《あ》るか、太郎《たろう》かじゃ呼出《よびいだ》し、承《うけたまわろ》うと存《ぞんず》る。ヤイ〳〵《ヤイ》太郎冠者《たろうかじゃ》、あるかやい。（太《た》郎冠者《ろうかじゃ》）ハア。（シテ）おるか〳〵《おるか》。（太郎冠者《たろうかじゃ》）ハア。（シテ）居《い》たか。（太《た》郎冠者《ろうかじゃ》）御前《おまえ》に。（シテ）念《ねん》なう早《はや》かつた。まづ立《ずた》て。（太郎冠者《たろうかじゃ》）畏《かしこまつ》て御座《ござ》る。

狂言《きょうげん》は舞台では能《のう》の合間に演じられる。幽玄な緊張感が漂う能の最中は咳払いもままならない。心身ともに奥深い緊張感に浸された身体を、狂言は笑いで解放する。実際に狂言を観て驚くのは、言葉づかいは古いにもかかわらず十分笑えるということだ。狂言は笑わせるだけでなく、狂言役者自身も豪快に笑う。最後に「呵々大笑《かかたいしょう》」して終わるのを「笑いドメ」と言う。

狂言には、失敗が帳消しになる「徳政令」的な面白さがある。『すゑひろがり』では、主人の言いつけで都へ末広がり（扇《おうぎ》）を買いに行った太郎冠者がだまされて古い傘を買ってきてしまいこっぴどく叱られるが、傘をさす流行歌を歌うと、主人も一緒に浮かれてめでたく終わる。『靫猿《うつぼざる》』でも、猿回しの猿の皮をよこせと無理を言う田舎大名が、猿の芸に心打たれて最後は猿につられて浮かれだす。こののんきさは最高だ。狂言が面白いのは、役者の体が徹底的に鍛錬《たんれん》されているからだ。滑稽《こっけい》に見えるしぐさほど、強靫《きょうじん》な足腰に支えられている。張りのある声や大笑いは強い肚《はら》なくしては生まれない。狂言の笑いの基礎には、〈腰肚《こしはら》文化〉と〈息の文化〉がある。

狂言には決まったパターンが多い。大名が目の前にいる太郎冠者を探すこのセリフも、導入部の典型だ。かつてのドリフターズや志村けんのバカ殿なども、まったくのワンパターンだが笑える。型があると、安心して笑う準備が整えられるのだ。逆に笑う準備が整っていれば些細《ささい》なことでも大笑いできる。これが型（パターン）をもつ笑いの強みだ。

口語要約

自分は果報者（大名）である。長老に末広がりを進上したいので、太郎冠者にその有無を聞こう。

『元二《げんじ》の安西《あんせい》に使《つかい》するを送《おく》る』

渭城《いじょう》の朝雨《ちょうう》軽塵《けいじん》を浥《うるお》し
客舎《かくしゃ》青々柳《せいせいりゅう》色《しょく》新《あら》たなり
君《きみ》に勧《すす》む更《さら》に尽《つ》くせよ一杯《いっぱい》の酒《さけ》
西《にし》のかた陽関《ようかん》を出《い》づれば故人《こじん》無《な》からん
無《な》からん無《な》からん故人《こじん》無《な》からん
西《にし》のかた陽関《ようかん》を出《い》づれば故人《こじん》無《な》からん

王維《おうい》

渭城朝雨浥二軽塵一
客舎青青柳色新
勧レ君更尽一杯酒
西出二陽関一無二故人一

王維は、言葉で描く風景画家だ。南画《なんが》の祖と賞されるほどの絵の達人でもある。自分自身でも「この世では詩人であったが生まれ変われば画家になるだろう」と言っている。王維の詩は「詩の中に画あり」、絵は「画の中に詩あり」と評された。音楽の才能もあり琵琶《びわ》もうまかった。音楽を聴いて情景が思い浮かんだり、文章から匂いや色彩を感じるのは楽しい。感覚と感覚がつながる「共感覚」の経験は、世界を厚みのあるリアリティとして感じさせてくれる。単眼よりも両眼で見るほうが奥行きが出るのと似ている。世界の意味を豊かにしてくれるのが芸術である。

この詩は、送別の歌として広く愛誦された定番である。王維の友人の元二が官命で出張するのを送るときにつくられた。もとの詩は、最初の四行のみだが、詩吟の場合、終わりの二行が加わる。とくに最後の一行は、三度繰り返して吟じるのがならわしとなっているので、「陽関三畳《ようかんさんじょう》の詩」とも呼ばれる。繰り返し吟じることで、別れの酒がいっそう腹にしみわたる。送別のときに詩を贈るという慣習は美しい。別れは、緊張感のある言葉を生み、その言葉は別れの時を祝祭にする。詩才はなくとも、せめて覚えている詩を朗誦して別れの時を飾りたい。

口語要約

渭城《いじょう》は朝の雨で砂ぼこりがおさまり、宿の前の柳も雨に洗われ、青々と煙るようだ。別れの杯をもう一杯勧めよう。西の方の陽関の関所を越すと知り合いもいなくなる。

『般《はん》若《にゃ》波《は》羅《ら》蜜《みっ》多《た》心《しん》経《ぎょう》』

唐《とう》三《さん》蔵《ぞう》法《ほう》師《し》玄《げん》奘《じょう》　訳《やく》

観《かん》自《じ》在《ざい》菩《ぼ》薩《さつ》、行《ぎょう》深《じん》般《はん》若《にゃ》波《は》羅《ら》蜜《みっ》多《た》時《じ》、照《しょう》見《けん》五《ご》蘊《うん》皆《かい》空《くう》、度《ど》一《いっ》切《さい》苦《く》厄《やく》、
舎《しゃ》利《り》子《し》、色《しき》不《ふ》異《い》空《くう》、空《くう》不《ふ》異《い》色《しき》、色《しき》即《そく》是《ぜ》空《くう》、空《くう》即《そく》是《ぜ》色《しき》、受《じゅ》想《そう》行《ぎょう》識《しき》
亦《やく》復《ぶ》如《にょ》是《ぜ》、舎《しゃ》利《り》子《し》、是《ぜ》諸《しょ》法《ほう》空《くう》相《そう》、不《ふ》生《しょう》不《ふ》滅《めつ》、不《ふ》垢《く》不《ふ》浄《じょう》、不《ふ》増《ぞう》不《ふ》
減《げん》、是《ぜ》故《こ》空《くう》中《ちゅう》、無《む》色《しき》、無《む》受《じゅ》想《そう》行《ぎょう》識《しき》、無《む》眼《げん》耳《に》鼻《び》舌《ぜっ》身《しん》意《に》、無《む》色《しき》声《しょう》香《こう》
味《み》触《そく》法《ほう》、無《む》眼《げん》界《かい》、乃《ない》至《し》無《む》意《い》識《しき》界《かい》、無《む》無《む》明《みょう》、亦《やく》無《む》無《む》明《みょう》尽《じん》、乃《ない》至《し》無《む》
老《ろう》死《し》、亦《やく》無《む》老《ろう》死《し》尽《じん》、無《む》苦《く》集《しゅう》滅《めつ》道《どう》、無《む》智《ち》亦《やく》無《む》得《とく》、以《い》無《む》所《しょ》得《とく》故《こ》、菩《ぼ》

提薩埵《だいさつた》、依般若波羅蜜多故《えはんにゃはらみったこ》、心無罣礙無罣礙故《しんむけいげむけいげこ》、無有恐怖《むうくふ》、遠離《おんり》
〔一切《いっさい》〕顛倒夢想《てんどうむそう》、究竟涅槃《くきょうねはん》、三世諸仏《さんぜしょぶつ》、依般若波羅蜜多故《えはんにゃはらみったこ》、得《とく》
阿耨多羅三藐三菩提《あのくたらさんみゃくさんぼだい》、故知般若波羅蜜多《こちはんにゃはらみった》、是大神咒《ぜだいじんしゅ》、是大明咒《ぜだいみょうしゅ》、
是無上咒《ぜむじょうしゅ》、是無等等咒《ぜむとうどうしゅ》、能除一切苦《のうじょいっさいく》、真実不虚《しんじつふこ》、故説般若波羅《こせつはんにゃはら》
蜜多咒《みったしゅ》、即説咒曰《そくせつしゅわつ》

掲帝掲帝《ぎゃていぎゃてい》、般羅掲帝《はらぎゃてい》、般羅僧掲帝《はらそうぎゃてい》、菩提僧莎訶《ぼうじそわか》
般若《はんにゃ》（波羅蜜多《はらみった》）心経《しんぎょう》

私の般若心経との出会いはいささか不気味なものだった。中学校のキャンプのとき、同じ班の同級生（通称エロジ）が真夜中にテントの中で般若心経を暗誦しだしたのだ。四十かと間違える風格を持つうえに、顔の下から懐中電灯をあてて低い声を響かせるものだから、すっかりホラーな世界ができあがった。彼は家で朝晩お経を上げる係になっていて暗誦してしまったらしい。「ぎゃーてー」がとくに不気味で印象に残り、その後、私も般若心経のテープを買って暗誦した。暗誦したくなる魅力が般若心経にはある。読経《どきょう》の声は独特だ。低い響きが空間を満たし、からだを揺さぶる。音の響きで身体を満たして宇宙とつながる感覚を得るやり方は瞑想《めいそう》の王道である。永平寺《えいへいじ》に修行に行った坊さんの話によると、お経を覚えるコツは繰り返して読経することだそうで、「耳で読め」と指導されるらしい。他の人の声をよく聴きながら読めということだ。

この呪文のような仏典をサンスクリット語の原文から日本語に訳した中村元《はじめ》・紀野《きの》一義《かずよし》『般若心経・金剛般若経』（岩波文庫）によれば、これは聖アヴァローキテーシュヴァラ（観自在または観音）が長老シャーリプトラ（舎利子《しゃりし》）に深遠な知恵の完成について語った言葉だ。存在するものの五つの構成要素である物質的現象・感覚・表象・意志・知識には実体がなく、生も滅もなく、迷いや老いや死や苦しみもない。物理的現象には実体がなく実体がないから物理的現象である（色即是空空即是色）。「掲帝《ぎゃてい》」以下は彼岸に往ける者よ、幸あれという意味だ。これを聞いた釈迦は賛同して喜んだと言われる。幸不幸や自分の死さえも絶対的なものではない。自分固有の死の自覚と本来的な生とを結びつけるハイデッガーの『存在と時間』の思想とは似て非なるものだ。

二、あこがれに浮《う》き立《た》つ

『初恋《はつこい》』

まだあげ初《そ》めし前髪《まえがみ》の
林檎《りんご》のもとに見《み》えしとき
前《まえ》にさしたる花櫛《はなぐし》の
花《はな》ある君《きみ》と思《おも》ひ《い》けり

やさしく白《しろ》き手《て》をのべて
林檎《りんご》をわれにあたへ《え》しは
薄《うす》紅《くれない》の秋《あき》の実《み》に
人《ひと》こひ《い》初《そ》めしはじめなり

島崎藤村《しまざきとうそん》

わがこゝ《こ》ろなきためいきの
その髪《かみ》の毛《け》にかゝ《か》るとき
たのしき恋《こい》の盃《さかずき》を
君《きみ》が情《なさけ》に酌《く》みしかな

林檎《りんご》畑《ばたけ》の樹《こ》の下《した》に
おのづ《ず》からなる細道《ほそみち》は
誰《た》が踏《ふ》みそめしかたみぞと
問《と》ひ《い》たまふ《う》こそこひ《い》しけれ

この詩には「あげ初めし」「人こひ初めし」「踏みそめし」と「そめし」が三度も出てくる。人を恋する気持ちを初めて知った思春期の初々《ういうい》しい感動を言葉に表現しようとする意志がそのまま、近代詩の扉を開いた象徴的な詩と言える。七五調の文語詩は、いま読むと古い感じがするかもしれないが、短歌などの定型以外での七五調で近代的精神にもとづく新しい詩を書こうとしたことや、行分け、章分けというスタイルは、当時はとてつもなく新しいものだった。島崎藤村の挑戦を礎石として、のちに七五調にとらわれない数々の近代・現代詩が現れる。

それにしても七五調文語体は今でも私たちの感性を刺激する。文語体のフレーズをラブソングにねじ込む手法はサザンオールスターズをはじめ現代日本のポップスにもよく見られる。Ｊポップス興隆の源流に藤村あり、と言える。

藤村は小説家としても日本の近代小説を切り開いた先駆者だ。私は高校時代に『破戒《はかい》』を読み、その鮮明な問題意識にうたれた。「**木曾路はすべて山の中である。あるところは岨《そば》づたいに行く崖の道であり**」という有名な文章で始まる大作『夜明け前』は、私小説中心の日本の近代小説を超えるものであった。

『万葉集《まんようしゅう》』

あかねさす紫野《むらさきの》行《ゆ》き標野《しめの》行《ゆ》き野守《のもり》は見《み》ずや君《きみ》が袖振《そでふ》る（1）

茜草指　武良前野逝　標野行　野守者不見哉　君之袖布流

（額田王《ぬかたのおおきみ》）

〔前歌に答えて〕

紫草《むらさき》のにほへ《おえ》る妹《いも》を憎《にく》くあらば人妻《ひとづま》ゆゑ《え》にわれ恋《こい》ひめやも（2）

紫草能　佘保敝類妹乎　佘苦久有者　人嬬故佘　吾恋目八方

（天武天皇《てんむてんのう》）

あしひきの山《やま》のしづ《ず》くに妹待《いもま》つとわが立《た》ち濡《ぬ》れし山《やま》のしづ《ず》くに（3）

足日木乃　山之四付二　妹待跡　吾立所沾　山之四附二

（大津皇子《おおつのみこ》）

〔前歌に答えて〕

吾《あ》を待《ま》つと君《きみ》が濡《ぬ》れけむ《ん》あしひきの山《やま》のしづ《ず》くに成《な》らましものを（4）

吾乎待跡　君之沾計武　足日木能　山之四附二　成益物乎

（石川郎女《いしかわのいらつめ》）

東《ひんがし》の野《の》に炎《かぎろい》の立《た》つ見《み》えてかへ《え》り見《み》すれば月《つき》傾《かたぶ》きぬ（5）

東　野炎　立所見而　反見為者　月西渡

（柿本人麻呂《かきのもとのひとまろ》）

君《きみ》が行《ゆ》く道《みち》のながてを繰《く》り畳《たた》ね焼《や》き亡《ほろ》ぼさむ天《あめ》の火《ひ》もがも（6）

君我由久　道乃奈我弖乎　久里多〻祢　也伎保呂煩散牟　安米能火毛我母

（茅上娘子《ちがみのおとめ》）

石《いわ》ばしる垂水《たるみ》の上《うえ》のさ蕨《わらび》の萌《も》え出《い》づる春《はる》になりにけるかも（7）

石激　垂見之上乃　左和良妣乃　毛要出春尒　成来鴨

（志貴皇子《しきのみこ》）

うらうらに照《て》れる春日《はるひ》に雲雀《ひばり》あがり情《こころ》悲《かな》しも独《ひと》りしおもへ《え》ば（8）

宇良宇良尒　照流春日尒　比婆理安我里　情悲毛　比登里志於母倍婆

（大伴家持《おおとものやかもち》）

小学校の教科書に柿本人麻呂の「東の野に……」（5）が載っていて全員で暗誦した。豪快な構図に驚いた記憶がある。今でも振り返ったときに月が見えるとこの歌が口をついて出る。小学校時代に覚えたものはやはり一生ものだ。茅上娘子が流罪《るざい》の夫を慕って詠んだ歌（6）でも道を畳んで焼き滅ぼす豪快なイメージに驚いた。与謝野晶子は突然変異ではなく、こうした男性を圧倒する情熱の奔流の系譜から生まれたのだ。『万葉集』は素晴らしい女性の相聞歌《そうもんか》にあふれている。

スケールの大きさと並んで、万葉仮名も『万葉集』の大きな特徴だ。大和言葉の一音一音を漢字で表すというアクロバティックな技を使い、二つの言語のずれをバネに恐るべき迫力と巧妙さで原文は書かれている。たとえば、血、乳、霊は現在の私たちにはそれぞれがまったく別のものだが、これら三文字はすべて「ち」という大和言葉の音に充《あ》てられた。さかのぼれば、血と乳と霊の三つが感覚的につながっていたとも考えられる。漢字の意味によってこまかく分けられる以前の音としての大和言葉には、呪術的な意味合いも含めて、実に豊富なニュアンスが含まれている。万葉仮名の文字はそのニュアンスを伝える。

口語要約

（1）あなたの私への恋の表示を人が見ています。（2）（前歌に答えて）あなたが人妻でも、恋せずにはいられません。（3）あなたを待って山の雫に濡れました。（4）（前歌に答えて）あなたが濡れたという雫になりたかった。（5）東の野に曙光。振り返ると西に月。（6）あなたの行く道を畳んで焼き滅ぼす天の火があったらよいのに。（7）滝の上の蕨が萌え出る春になった。（8）のんびりした春の日、一人で物を思うと何か悲しい。

不来方《こずかた》のお城《しろ》の草《くさ》に寝《ね》ころびて
空《そら》に吸《す》は《わ》れし
十五《じゅうご》の心《こころ》

東海《とうかい》の小島《こじま》の磯《いそ》の白砂《しらすな》に
われ泣《な》きぬれて
蟹《かに》とたは《わ》むる

こころよく
我《われ》にはたらく仕事《しごと》あれ
それを仕遂《しと》げて死《し》なむ《ん》と思《おも》ふ《う》

石川啄木《いしかわたくぼく》

　啄木には、あこがれる少年の香りがする。実際『あこがれ』という第一詩集を自費出版している。浪漫《ろうまん》歌人として注目された啄木だが、「**はたらけど／はたらけど猶《なお》わが生活《くらし》楽にならざり／ぢつと手を見る**」という生活苦のなかで、自然主義（生活派）や社会主義的傾向を強めていった。三行分かち書きという短歌表記は、啄木の新たな試みだ。

　近代歌人のなかでも石川啄木はもっとも広く愛誦されてきた。その秘密は感情の浮き沈みの激しい子どもっぽさにある。自分の才能に酔いしれて気宇《きう》壮大になり、大言壮語を吐くかと思えば、急に自信を失って、浜辺で泣き濡れてカニと戯れたりする。全能感に満ちた高揚した気分と、寂しくてとても一人ではいられない不安感とが、一日のうちで何度も反転できるのが子どもだ。それを可能にしているのは、社会的役割が定まっていない過剰なエネルギーだ。

　日本人は昔から子どもっぽさが好きだ。ポケモンをはじめマンガやアニメやゲームといった子どもを喜ばせる商品では世界を席巻《せっけん》している。日本人は啄木の子どもらしさを愛してきた。啄木は実際からだが小さく、童顔であった。「**大いなる彼の身体が／憎《にく》かりき／その前にゆきて物を言ふ時**」。家長として一家の大黒柱になるどころか、昔つきあっていた女性に平気で借金をしたりする。しかし、たまには肚《はら》に力のこもるときもある。「**おほどかの心来《きた》れり／あるくにも／腹に力のたまるがごとし**」。生活はいい加減で、思想は青臭いながらも正義感にあふれ、歌われた言葉は独特の香気を放つ。

『土佐日記《とさにっき》』　紀貫之《きのつらゆき》

男《おとこ》もすなる日記《にき》といふ《う》ものを、女《おんな》もしてみむ《ん》とするなり。それの年《とし》の、しは《わ》すの、二十日《はつか》あまり一日《ひとひ》の日《ひ》の、戌《いぬ》の刻《とき》に門《かど》出《で》す。その由《よし》いささかにものに書《か》きつく。

『更級日記《さらしなにっき》』　菅原孝標女《すがわらのたかすえのむすめ》

あづ《ず》まぢ《じ》の道《みち》のはてよりも、なほ《お》奥《おく》つかたに生《お》ひ《い》出《い》でたる人《ひと》、いかばかりかはあやしかりけむ《ん》を、いかに思《おも》ひ《い》はじめける事《こと》にか、世《よ》の中《なか》に物語《ものがたり》といふ《う》物《もの》のあんなるを、いかで見《み》ばやと思《おも》ひ《い》つつ、……

どちらも日記ということになっているが、毎日を記録する日記とはちがう。絵物語のように旅や自分の半生を書きつづったものだ。

『土佐日記』は、文学のプロが新しい表現形式を開拓した作品だ。男の作者が女性の立場で小説を書くスタイルは、今ではよく見られるが、そうした虚構を初めておこなった紀貫之は、日本文学史上に名を残そうとする野心に満ちていたにちがいない。「男が女になる」、あるいは「女が男になる」ことは、性的中枢をも刺激して魅惑的である。そこには虚構の美と快楽がある。

『更級日記』のほうは、少女時代から老境までの約四十年間の人生を回想した記録で、いわば「夢見がちな文学少女の切ない一代記」である。世の中にたくさんあると言われる物語を全部見せてほしいと薬師仏《やくしぶつ》に祈り、『源氏物語』を読むときめきを「**后《きさき》のくらゐも何かはせむ**」と言いきった可憐な少女が、遅い結婚をしたのちの老年に、「**月もいでて闇にくれたる姨捨《おばすて》になにとて今宵たづね来つらむ**」という歌で自分を「姨捨」にたとえるに至ったのか。いったい何が彼女の身に起こったのであろうか、といった興味をそそる構成になっている。

口語要約

【土佐日記】男の人も書くという日記を女の私も書いてみようとしています。ある年の十二月二十一日午後八時頃出発しますので、そのことを多少書きましょう。

【更級日記】東国の奥のほうで生まれ育った私は、どんなに田舎者であったことか。それがどうしたことか世の中に物語というものがあるのを、なんとしても見たいと思うようになり……。

『海《うみ》べの戀《こい》』

こぼれ松葉《まつば》をかきあつめ
を《お》とめのごとき君《きみ》なりき、
こぼれ松葉《まつば》に火《ひ》をはなち
わらべのごときわれなりき。

わらべとを《お》とめよりそひ《い》ぬ
ただたまゆらの火《ひ》をかこみ、
うれしくふたり手《て》をとりぬ
かひ《い》なきことをただ夢《ゆめ》み。

佐藤春夫《さとうはるお》

入日《いりひ》のなかに立《た》つけぶり
ありやなしやとただほのか、
海《うみ》べの戀《こい》のはかなさは
こぼれ松葉《まつば》の火《ひ》なりけむ《ん》。

この詩を私は二十年来、口ずさんでいる。ふと心に隙間《すきま》ができたときに、歌となって自然に口をついてでる。この詩には小椋佳《おぐらけい》が曲をつけて歌っている。この歌は、ＮＨＫのドラマ『黄色い涙』の主題歌だった。永島慎二原作の若い漫画家たちの青春物語であった。当時十代だった私は、東京で下宿生活をしながら夢に生きる若者たちにあこがれた。そのあこがれの切なさとこの詩の切なさが重なった。これは、谷崎潤一郎の夫人、千代子との恋を歌ったものだ。道ならぬ恋の二人が子どものように海辺で焚き火をする情景が、心に焼きついている。

佐藤春夫は、「**秋刀魚《さんま》苦いか塩《しよ》つぱいか**」で知られる『秋刀魚の歌』でも有名だ。暗誦をよくされた詩人で、「**野ゆき山ゆき海邊ゆき／眞ひるの丘べ花を藉《し》き／つぶら瞳の君ゆゑに／うれひは青し空よりも**」で始まる『少年の日』も広く愛誦された。

『母《はは》』

あゝ《あ》麗《うるわ》はしい距離《デスタンス》、
つねに遠《とお》のいてゆく風景《ふうけい》……
悲《かな》しみの彼方《かなた》、母《はは》への、
捜《さぐ》り打《う》つ夜半《よわ》の最弱音《ピアニツシモ》。

吉田《よしだ》一穂《いっすい》

母のイメージを歌った詩は数多いが、これはそのなかでももっとも凝縮度が高いものではないか。短い言葉の裏に、莫大な量の言葉とイメージが刻み込まれている。それもたんに刻み込まれているのではなく、香水のように母の香りのエッセンスに凝縮されている。遠い記憶のあこがれに酔わせるという点では、最高級の言葉のブランデーとも言える。上品でしかも濃厚な香りに浸ることができる。この母のイメージは、彼方の海の響きのイメージにも通じている。実際この詩は、吉田一穂の第一詩集『海の聖母』の冒頭を飾ったものだ。それにしても、啄木の「**戯れに母を背負ひて／そのあまり軽きに泣きて／三歩歩《あゆ》まず**」とは対照的な母のイメージだ。

記憶が遠くなり、霧がかかったように霞んでいくとき、そこにはある種の切なさと美しさが生まれる。彼方の記憶の中核に、幼い頃の母のイメージがある。三好達治の『いにしへの日は』という詩は、「**いにしへの日はなつかしや／すがの根のながき春日を／野にいでてげんげつませし／ははそはの母もその子も／そこばくの夢をゆめみし**」とはじまる。しかし、人の世の暮れるのは早く、母とともに汽車から花畑を見ても、降りたって花を摘むときは永久に過ぎてしまった。この詩はこう結ばれる。「**ははそはのははもそのこも／はるののにあそぶあそびを／ふたたびはせず**」。母の記憶は、幼い自分の記憶でもある。

『サーカス』

幾時代《いくじだい》かがありまして
　茶色《ちゃいろ》い戦争《せんそう》ありました

幾時代《いくじだい》かがありまして
　冬《ふゆ》は疾風《しっぷう》吹《ふ》きました

幾時代《いくじだい》かがありまして
　今夜此処《こんやここ》での一《ひ》と殷盛《さか》り
　　今夜此処《こんやここ》での一《ひ》と殷盛《さか》り

サーカス小屋《ごや》は高《たか》い梁《はり》
　そこに一《ひと》つのブランコだ
見《み》えるともないブランコだ

中原中也《なかはらちゅうや》

頭倒《あたまさか》さに手《て》を垂《た》れて
　汚《よご》れ木綿《もめん》の屋蓋《やね》のもと
ゆあーん　ゆよーん　ゆやゆよん
それの近《ちか》くの白《しろ》い灯《ひ》が
　安値《やす》いリボンと息《いき》を吐《は》き
観客様《かんきやくさま》はみな鰯《いわし》
　咽喉《のんど》が鳴《な》ります牡蠣殻《かきがら》と
ゆあーん　ゆよーん　ゆやゆよん

　屋外《やがい》は真《ま》ッ闇《くら》　闇《くら》の闇《くら》
　夜《よ》は劫々《こうこう》と更《ふ》けまする
　落下傘奴《らつかがさめ》のノスタルヂ《ジ》アと
ゆあーん　ゆよーん　ゆやゆよん

日本を代表する文芸批評家の小林秀雄は、中原中也についてこう書いている。「中原の心の中には、実に深い悲しみがあつて、それは彼自身の手にも余るものであつたと私は思つてゐる。彼の驚くべき詩人たる天資も、これを手なづけるに足りなかつた」。中原と愛憎が絡まる激しい友人関係を生きた小林の言葉だけに説得力がある。悲しみと郷愁。「**汚れつちまつた悲しみに／今日も小雪の降りかかる／汚れつちまつた悲しみに／今日も風さへ吹きすぎる**」（汚れつちまつた悲しみに）という有名な一節にも、悲しみがあふれている。

『サーカス』は、寂しいながらもどこか楽しさが漂う郷愁である。中原中也は、ランボオやヴェルレーヌといったフランスの詩人たちの影響を強く受けたと同時に、北原白秋の影響も受けている。この『サーカス』は、白秋の童謡を思い起こさせる。サーカス自体が持つ古ぼけた感じやある種のいかがわしさや懐かしさが、「ゆあーん　ゆよーん　ゆやゆよん」のなかにうまく生きている。たくさんの人に愛誦された詩だ。

「**秋の夜は、はるかの彼方に、／小石ばかりの、河原があつて、／それに陽は、さらさらと／さらさらと射してゐるのでありました**」という一節で有名な『一つのメルヘン』も愛誦されてきた。

三、リズム・テンポに乗《の》る

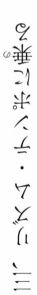

『付《つ》け足《た》し言葉《ことば》』

驚《おどろ》き桃《もも》の木《き》山椒《さんしょ》の木《き》
あたりき車力《しゃりき》よ車曳《くるまひ》き
蟻《あり》が鯛《たい》なら芋虫《いもむし》や鯨《くじら》
嘘《うそ》を築地《つきじ》の御門跡《ごもんぜき》
恐《おそ》れ入谷《いりや》の鬼子母神《きしぼじん》
おっと合点承知之助《がってんしょうちのすけ》
その手《て》は桑名《くわな》の焼蛤《やきはまぐり》
何《なに》か用《よう》か九日十日《ここのかとおか》
何《なに》がなんきん唐茄子《とうなす》かぼちゃ

活きのいい言葉は急には止まれない。付け足し言葉は余勢を引き受け、いよいよ加速させる。ただ「驚いた」では勢いが出ない。「**驚き桃の木山椒の木**」とテンポよく言うことで会話に勢いが出る。子どもの頃、「あたりき車力こんこんちきブリキ」とか「あたりまえだのクラッカー」などとよく言っていた。子どもは意味のない付け足し言葉が大好きだ。先日メガネをさがしていて子どもに「知ってるか」と聞いたら、「しーらんペッタンゴリラ」と返された。

付け足し言葉で応えることで、相手の言葉への反応《レスポンス》は大きくなる。省エネで単語だけぽつりぽつり投げだすのでは会話に勢いが出ない。遊びも洒落《しゃれ》っ気もない。将棋を指しているときなどにこうした洒落言葉が連発されるのも、お互いのあいだの空気の流れを楽しむためだ。

職人が金槌で釘を打つときに、一度釘を打ったあと別の釘をたたいてつぎにまた元の釘に戻るというやり方を繰り返すのを見たことがある。別の場所を「合いの手」として組み込むことでリズムが出て、釘もまっすぐ入っていく。付け足し言葉も一見無駄なようだが、リズムを出すのに有効な合いの手だ。「**困った膏薬《こうやく》貼り場がねえ**」「**困り煎豆山椒味噌《いりまめさんしょ》**」「**結構毛だらけ猫灰だらけ**」と口に出してみると、こうした言葉が日常会話にあふれていた時代の活きのいい身体感覚がよみがえってくるようだ。身体のエネルギーは省エネに向かえば向かうほど落ちてくる。「出せば出すほどエネルギーは湧く」という身体の基本原理が忘れられかけているのではないか。

『早口言葉《はやくちことば》』

生麦《なまむぎ》生米《なまごめ》生卵《なまたまご》

赤巻紙《あかまきがみ》青巻紙《あおまきがみ》黄巻紙《きまきがみ》

京《きよう》の生鱈《なまだら》奈良《なら》生《なま》まな鰹《がつお》

隣《となり》の客《きやく》はよく柿《かき》食《く》う客《きやく》だ

竹屋《たけや》にたけ高《たか》い竹立《たけた》てかけた

特許許可《とつきよきよか》する東京特許許可局《とうきようとつきよきよかきよく》

坊主《ぼうず》が屏風《びようぶ》に上手《じようず》に坊主《ぼうず》の絵《え》をかいた

小米《こごめ》の生嚙《なまが》み小米《こごめ》の生嚙《なまが》みこん小米《こごめ》の小生嚙《こなまが》み

蛙《かえる》ぴょこぴょこ三《み》ぴょこぴょこ合《あわ》せてぴょこぴょこ六《む》ぴょこぴょこ

フロイトというのはおもしろい人で、夢と神経症と言い間違いという、およそ無関係に思われる三つの事柄のあいだに無意識レベルでの関係を見出した。星と星のあいだの引き合う力を発見したニュートンもそうだが、天才というのは、常人には無関係に見えるものを結びつける力を持つ。早口言葉は言い間違えを楽しむ遊びだ。頭ではわかっているが舌がもつれてしまう。意識が肉体とずれる「もどかしさ」を楽しみ合うのだから、人間ならではの高級な遊びだ。子どもは早口言葉が好きだ。脳卒中の前兆に舌のもつれがあることを考えると、子どもたちは舌のもつれなさを競うことで自分たちの健康と若さを楽しんでいるのかもしれない。

早口を取り入れた音読法に「高速まわし読み」がある。みんなで円をつくり、一人一文をできるだけ早く読んでつぎつぎにまわしていく。ストップウォッチで時間を計りながらやると盛り上がる。私は幸田文《あや》の短文でこれをやったことがあるが、何回かやると速くなる。前の人が言い終わってから息を吸ったのでは間に合わない。「しっぽを食う」ように、相手の言葉の最後の音に重ねるように始めるのがコツだ。速く読むと粗雑になると思われるかもしれないが、実際には名文を何度も何度も緊張して音読して耳に入れることになるので、素晴らしい効率の良さで文が身に染み込んでくる。脳が高速回転する快感が味わえる。文章のなかには早口言葉になりそうなやっかいな文がたいがい含まれているので、遊びとしても楽しめる。名文を繰り返し音読するのに活用できる方法だ。

『揺籃《ゆりかご》のうた』

揺籃《ゆりかご》のうたを、
カナリヤが歌《うた》う、よ。
ねんねこ、ねんねこ、
ねんねこ、よ。

揺籃《ゆりかご》のうえに、
枇杷《びわ》の実《み》が揺《ゆ》れる、よ。
ねんねこ、ねんねこ、
ねんねこ、よ。

北原白秋《きたはらはくしゅう》

揺籃《ゆりかご》のつなを、
木《き》ねずみが揺《ゆ》する、よ。
ねんねこ、ねんねこ、
ねんねこ、よ。

揺籃《ゆりかご》のゆめに、
黄色《きいろ》い月《つき》がかかる、よ。
ねんねこ、ねんねこ、
ねんねこ、よ。

白秋は、日本詩歌界のイチローである。イチローがプロ野球の歴史を画するオールラウンド・プレイヤーなように、白秋も近代詩人、童謡民謡の作者、歌人として日本を代表する力を安定して発揮しつづけた。処女詩集の『邪宗門《じゃしゅうもん》』は官能的印象詩と呼ばれる。白秋は「時代を画するほどの処女詩集でなければ世に問うものではない」と考えたが、事実、時代を画した。『落葉松《からまつ》』も有名だ。童謡民謡作家としても超一流で、『アメフリ』（アメアメ　フレフレ、カアサン　ガ）『からたちの花』『ペチカ』『城ヶ島の雨』など有名なものが多い。大正期に、文部省唱歌の教化主義や懐古的美意識にあきたらない文学者らが、口語体で新しい感覚の童謡を子どもたちのためにつくる一大運動を起こした。鈴木三重吉《みえきち》編集の童謡童話雑誌『赤い鳥』（大正七年創刊）は、その代表的なもので、白秋はこの雑誌のエースであった。

白秋の童謡民謡については、『白秋愛唱歌集』（藤田圭雄編、岩波文庫）に詳しい。そこには「北原白秋の歌を空気のように吸って大きくなった」世代の記憶が引かれている。「こんな歌を、誰かに教わったという記憶がない。みんな生まれながらに身につけていた。男の子はそんなことはしないが、女の子たちは公園や幼稚園で揺れる乗り物に乗ると、ほとんど自動的に『揺籠のうたをカナリヤが歌うよ』、といい気分でうたいだした」。カナリヤは、西条八十《やそ》から井上陽水までが歌のタイトルにしているが、日本人にとって不思議な魔力を持つ舶来語だ。

『寿限無《じゅげむ》』

「あらまあ、金《きん》ちゃん、すまなかったねえ。じゃあなにかい、うちの寿限無《じゅげむ》寿限無《じゅげむ》、五劫《ごこう》のすりきれ、海砂利《かいじゃり》水魚《すいぎょ》の水行末《すいぎょうまつ》、雲来末《うんらいまつ》、風来末《ふうらいまつ》、食《く》う寝《ね》るところに住《す》むところ、やぶらこうじのぶらこうじ、パイポパイポ、パイポのシューリンガン、シューリンガンのグーリンダイ、グーリンダイのポンポコピーのポンポコナの長久命《ちょうきゅうめい》の長《ちょう》助《すけ》が、おまえのあたまにこぶをこしらえたって、まあ、とんでもない子《こ》じゃあないか。ちょいと、おまえさん、聞《き》いたかい？ うちの寿限無《じゅげむ》寿限無《じゅげむ》、五劫《ごこう》のすりきれ、海砂利《かいじゃり》水魚《すいぎょ》の水行末《すいぎょうまつ》、雲来末《うんらいまつ》、風《ふう》来末《らいまつ》、食《く》う寝《ね》るところに住《す》むところ、やぶらこうじのぶらこうじ、パイポパイポ、パイポのシューリンガン、シューリンガンのグーリンダイ、グーリンダイのポンポコピーのポンポコナの長久命《ちょうきゅうめい》の長《ちょう》助《すけ》が、金《きん》ちゃんのあたまへこぶをこしらえたんだとさ」

「じゃあなにか、うちの寿限無寿限無《じゅげむじゅげむ》、五劫《ごこう》のすりきれ、海砂利水《かいじゃりすい》魚《ぎょ》の水行末《すいぎょうまつ》、雲来末《うんらいまつ》、風来末《ふうらいまつ》、食《く》う寝《ね》るところに住《す》むところ、やぶらこうじのぶらこうじ、パイポパイポ、パイポのシューリンガン、シューリンガンのグーリンダイ、グーリンダイのポンポコピーのポンポコナの長久命《ちょうきゅうめい》の長助《ちょうすけ》が、金坊《きんぼう》のあたまへこぶをこしらえたっていうのか。金坊《きんぼう》、どれ、みせてみな、あたまを……なーんだ、こぶなんざあねえじゃあねえか」

「あんまり長《なが》い名前《なまえ》だから、こぶがひっこんじゃった」

寿限無から長助までが一つの名前だ。このばかばかしいほど長い名前を覚えるのは意外に楽しい。私が小学生のときクラスで大流行した。熊五郎のところに男の子が産まれ、和尚さんに名前をつけてもらう。熊五郎は「なにかこう死なねえ保証つきというような、すてきなやつをつけてやってください」と注文をつける。鶴太郎や亀の助では納得しない。「寿限無」は気に入るが、これ一つでは熊五郎は満足しない。和尚はつぎつぎと縁起のいい名前を挙げていく。熊五郎はどれも気に入って「いっそみんなつけちまいます」と一つの名前にしてしまう。

この子どもが大きくなってわんぱく小僧になり、友だちの金坊の頭にこぶをつくってしまう。金坊が熊五郎夫婦に言いつけるのだが、名前が長すぎて事情を説明するのに時間がかかってしまう。そうこうするうちに、「こぶがひっこんじゃった」というのがオチだ。

寿《よわい》限りなしで死ぬことのない「寿限無」、天人が三千年に一度下界に下りるたびに衣で巌《いわ》を撫で、巌を摺り切るのに要する時間が一劫《いっこう》からくる「五劫の摺り切れ」、膨大で獲り尽くせない海の幸「海砂利、水魚」、水雲風の行く末は果てがないので「水行末、雲来末、風来末」、衣食住は欠かせず「食う寝る所に住む所」、生命力強靱な藪柑子《やぶこうじ》「やぶらこうじのぶらこうじ」、昔、唐土《もろこし》にあった「パイポ」という国の「シューリンガン」王と「グーリンダイ」后のあいだに生まれ超長生きした双生児姉妹の名「ポンポコピー」と「ポンポコナ」、長久と長命を合わせて「長久命」、長く助ける「長助」から成る名前。

『黄金虫《こがねむし》』

黄金虫《こがねむし》は、金持《かねも》ちだ。
金蔵《かねぐら》建《た》てた、蔵《くら》建《た》てた。
飴屋《あめや》で水飴《みずあめ》、買《か》って来《き》た。

黄金虫《こがねむし》は、金持《かねも》ちだ。
金蔵《かねぐら》建《た》てた、蔵《くら》建《た》てた。
子供《こども》に水飴《みずあめ》、なめさせた。

野口雨情《のぐちうじょう》

童謡には、気がつけば覚えていて、はじめから自分の中にあったようになじみのいい歌が多い。『黄金虫』の歌は、今の幼児でもなぜか知っている。ただし、飴屋の部分は、ほとんど知られていない。雨情の家は名家で、彼が三、四歳のとき、村に毎日来る飴屋の飴ばかりか飴箱まで欲しがったので、出入りの大工に新しい飴箱を作らせて、それと交換に飴屋の飴箱を譲ってもらったそうだ。そんな思い出も込められているのかもしれない。

野口雨情は口語体による創作童謡運動の代表的詩人だ。若山牧水《ぼくすい》らとともに雑誌『金の船』(大正九年創刊)を舞台に新童謡を発表した。『あの町この町』や『七つの子』(烏《からす》、なぜ啼《な》くの)、『証誠寺《しょうじょうじ》の狸囃子《たぬきばやし》』(証《しょう》、証《しょう》、証誠寺《しょうじょうじ》)など、わらべうたの情緒を伝承して日本人の心と体に深く染み込んでいるものが多い。教訓的な文部省唱歌にはなかった世界だ。『しゃぼん玉』『青い眼の人形』『兎のダンス』(ソソラ　ソラ　ソラ　兎のダンス)『船頭小唄』も有名だ。

坂口安吾《あんご》が「文学のふるさと」と呼んだ、幼な心に恐《こわ》い気持ちを起こさせる恐怖の物語性に長《た》けていることでも北原白秋や西条八十《やそ》と共通する。たとえば『赤い靴』(異人さんに　つれられて　行っちゃった)、『時雨唄《しぐれうた》』(親孝行するから／足袋《たび》下され／足が凍《こご》えて歩けない／死んだ母さん　後母《あとかか》さん)といったものがある。恐い魅力がある。

木《もく》　火《か》　土《ど》　金《ごん》　水《すい》

【五行《ごぎょう》】

甲《こう》　乙《おつ》　丙《へい》　丁《てい》　戊《ぼ》　己《き》　庚《こう》　辛《しん》　壬《じん》　癸《き》

【十干《じっかん》】

子《ね》　丑《うし》　寅《とら》　卯《う》　辰《たつ》　巳《み》　午《うま》　未《ひつじ》　申《さる》　酉《とり》　戌《いぬ》　亥《い》

【十二支《じゅうにし》】

睦月《むつき》　如月《きさらぎ》　弥生《やよい》　卯月《うづき》　皐月《さつき》　水無月《みなづき》

文月《ふ(み)づき》　葉月《はづき》　長月《ながつき》　神無月《かんなづき》　霜月《しもつき》　師走《しわす》

【十二か月《じゅうにかげつ》】

暦は、宇宙（マクロコスモス）と身体（ミクロコスモス）をつなぐ文法だ。日本でかつて用いられていた陰暦は、月の満ち欠けを基準にした太陰暦がもとになっている。満潮干潮は月の引力によるものだ。海水と同様、ほとんどが液体である人体も天体の影響を受ける。満月のときには犯罪が増えるとも言われる。狼男伝説にあるように、西洋ではかつて精神異常は月からの霊気の流入によるものとされた。LUNACY《ルナシィー》という語には、月と狂気の深い関係への確信が込められている。原始的な細胞からの進化の膨大な時間を通じて、天体の運行は根源的なリズムとして身体（細胞）に刻み込まれている。

自分の身体を小さな宇宙だと感じることは、私たちの精神を安らかにしてくれる。しかし、人間は弱いもので、利害のために占星術を利用する。「草木も眠る午前二、三時」では間が抜ける。やはり「草木も眠る丑三《うしみ》つ時」でなくては古代の呪術的な心性の凄《すご》みがでない。京都の清水寺には丑の時参りの呪いの釘の跡がたくさんある樹がある。怨念パワーの凄《すさ》まじさを感じる。

今でも陰陽師《おんみようじ》の安倍晴明《あべのせいめい》や風水《ふうすい》は大人気だ。陰陽の陰陽説と木火土金水の五行説とが結びつけられて陰陽五行説となった。この説は日本の行事や祭りなどの日常生活にも深く入り込んだ。土用《どよう》の丑の日には鰻を食べてお灸を据える習わしだったが、都合のいいように鰻だけが残っている。天地自然の流れに身体を沿わせる感覚を養うのに暦は役に立つ。五行を陰と陽（兄《え》・弟《と》）に分けたのが十干だ。これに十二支を加えたのが干支《えと》で、甲子《きのえね》から始まり六十番目に癸《みずのと》亥《い》となる。六十年で一巡りしてもとに還るので満六十歳を還暦と言う。まさにライフサイクルだ。

『春《はる》の七草《ななくさ》』

作者不詳

せり　なずな

ごぎょう　はこべら

ほとけのざ

すずな　すずしろ

これぞ七草《ななくさ》

『秋《あき》の七草《ななくさ》』

山上憶良《やまのうえのおくら》（『万葉集《まんようしゅう》』より）

萩《はぎ》の花《はな》　尾花葛花《おばなくずばな》

瞿麦《なでしこ》の花《はな》

女郎花《おみなえし》また藤袴《ふじばかま》朝貌《あさがお》の花《はな》

私は草花の名前に弱いのだが、春の七草は小学校のときに暗記したおかげで今でも言える。五七五七七になっているので覚えやすい。秋の七草は山上憶良作とされている。

春の七草は古くは正月七日に羹《あつもの》にした。のちにまな板に載せて囃《はや》してたたき、粥《かゆ》に入れて食べるようになった。邪気《じゃき》を払い、万病を除く意味があった。春の七草の花は派手なものではなく、草としての性格が強いが、秋の七草は彩りも美しく、花としての魅力がある。「**秋の野に咲きたる花を指《および》折りかき数ふれば七種《ななくさ》の花**」（『万葉集』一五三七）という歌もある。

七を大切な数とするのは中国から渡来した風習で、日本では古くは八を聖なる数として重んじていた。西洋で宇宙の真理を数の秩序で把握しようとしたのはピタゴラス派だ。キリスト教で三位一体（父・子・聖霊）と言うように、秘数は三になることもあれば四になることもある。春秋には無数の草花が咲く。そのなかで「七」草を選ぶことで、草花の世界に秩序が与えられたのである。七五調は、私たちにとって、身体のリズムを支配する秘数だとも言える。

瘦蛙《やせがえる》まけるな一茶《いっさ》是《これ》に有《あり》

雀《すずめ》の子《こ》そこのけ〳〵《そこのけ》御馬《おうま》が通《とお》る

我《われ》と来《き》て遊《あそ》べや親《おや》のない雀《すずめ》

やれ打《うつ》な蠅《はえ》が手《て》をすり足《あし》をする

目出度《めでた》さもちう《（ちゆう）》位《くらい》也《なり》おらが春《はる》

うつくしやせう《（しよう）》じの穴《あな》の天《あま》の川《がわ》

雪《ゆき》とけて村《むら》一《いっ》ぱいの子《こ》ども哉《かな》

小林《こばやし》一茶《いっさ》

むうまそうな雪《ゆき》がふうわりふうわり哉《かな》

この世に不幸は数あれど、子に先立たれるに勝る不幸はあるまい。一茶は五十六歳のときに娘を授かった。一歳（数えで二歳）になる長女里《さと》に一人前の正月の雑煮膳《ぞうにぜん》をすえて「**這《は》へ笑へ二つになるぞけさからは**」と祝った。子の行く末を祝して、「**たのもしやてんつるてん**（つんつるてん）**の初袷《はつあわせ》**」、秋には「**名月を取つてくれろと泣く子哉《かな》**」と詠んだ。しかし、その娘も満二歳を待たずに、「天然痘《てんねんとう》の神に見込まれて」亡くなってしまう。「**露の世は露の世ながらさりながら**」は、なんともやり場のない悲しみが込められた句だ。

一茶は幼い頃に親を亡くしている。親が子を守り育て、強いものが弱いものをかばう。そうした温かい関係を心から望んでいたが、必ずしも得られなかった。一茶には蚤《のみ》をはじめ蚊、蠅、ボウフラ、蟬、蛙など小さな命を詠った句が多い。生きとし生けるものは蚤虱《のみしらみ》に至るまで命が惜しいのは人と同じだと書いている。こうした思想を一茶は説教臭くなく、「**とべよ蚤同じ事なら蓮の上**」と、ひょうひょうと詠う。あまりに構えがないので、一茶の言葉は自然に入ってくる。重いものも軽く扱う。この飄逸《ひょういつ》さが一茶の持ち味だ。

『浮世風呂《うきよぶろ》』

式亭三馬《しきていさんば》

熟《つらつら》監《かんがみ》るに、銭湯《せんとう》ほど捷徑《ちかみち》の教諭《おしえ》なるはなし。其故如何《そのゆえいかん》となれば、賢愚邪正貧福貴賤《けんぐじゃしょうひんふくきせん》、湯《ゆ》を浴《あび》んとて裸形《はだか》になるは、天地自然《てんちしぜん》の道理《どうり》、釈迦《しゃか》も孔子《こうし》も於三《おさん》も権助《ごんすけ》も、産《うま》れたまゝ《ま》の容《すがた》にて、惜《おし》い欲《ほし》いも西《にし》の海《うみ》、さらりと無欲《むよく》の形《かたち》なり。欲垢《よくあか》と梵悩《ぼんのう》と洗清《あらいきよ》めて浮湯《おかゆ》を浴《あび》れば、旦那《だんな》さまも折助《おりすけ》も、孰《どれ》が孰《どれ》やら一般裸体《おなじはだかみ》。是《これ》乃《すなわ》ち生《うま》れた時《とき》の産湯《うぶゆ》から死《しん》だ時《とき》の葬灌《ゆかん》にて、暮《ゆうべ》に紅顔《こうがん》の酔客《なまえい》も、朝湯《あさゆ》に醒的《しらふ》となるが如《ごと》く、生死一重《しょうじひとえ》が嗚呼《ああ》まゝ《ま》ならぬ哉《かな》。さればば仏《ほとけ》嫌《ぎらい》の老人《としより》も風呂《ふろ》へ入《い》れば吾《われ》しらず念仏《ねんぶつ》をまうし《も》、色好《いろごのみ》の壮夫《わかいもの》も裸《はだか》になれば前《まえ》をおさえて己《おのれ》から恥《はじ》を知《し》り、猛《たけ》き武士《もののふ》の頸《あたま》から湯《ゆ》をかけられても、人込《ひとごみ》じやと堪忍《かんにん》をまもり、目《め》に見《み》えぬ鬼《おに》神《かみ》を隻腕《かたうで》に雕《えり》たる侠客《ちゆうつぱら》も、御免《ごめん》なさいと石榴口《ざくろぐち》に屈《かが》むは銭湯《せんとう》の徳《とく》ならずや。心《こころ》ある人《ひと》に私《わたくし》あれども、心《こころ》なき湯《ゆ》に私《わたくし》なし。譬《たと》へ《え》ば、人密《ひとひそか》に湯《ゆ》の中《なか》にて撒屁《おなら》をすれば、湯《ゆ》はぶく〳〵《ぶく》と鳴《なり》て、忽《たちま》ち泡《あわ》を浮《うか》み出《いだ》す。

式亭三馬は『浮世床《うきよどこ》』の作者でもあり、町人の風俗を滑稽《こっけい》に描く達人だ。声に出して読んでみると、文章の調子の良さが笑いの素《もと》になっているのがよくわかる。しかも調子のよい文の流れに、ことわざやだじゃれ、懸詞《かけことば》などを息つく暇もないほど的確に注ぎ込んでいる。「暮《ゆうべ》に紅顔《こうがん》の酔客《なまえい》も」は蓮如上人《れんにょしょうにん》の「朝《あした》に紅顔の粧《よそお》いありて、夕《ゆうべ》に白骨となれる身なり」のもじりだ。

銭湯には暗黙のルールが存在する。水をはねさせたりすれば注意される。裸のつきあいや公共的なルールを身につけることは現代社会の苦手とするところだけに、『浮世風呂』は興味深い。

口語要約

思うに銭湯ほど手っとり早い教訓の場はない。というのも裸に賢愚《けんぐ》、正邪、貴賤の別なく裸になり、欲という垢《あか》も煩悩《ぼんのう》も洗い清めて上がり湯を浴びれば、どれも同じ生まれたままの無欲の裸。すなわち生まれたときは産湯《うぶゆ》、死ぬときは湯灌《ゆかん》、夕べに赤ら顔の酔客も朝湯には素面《しらふ》となるがごとしで、生死の紙一重がままならない。というわけで、仏さん嫌いの老人も風呂に入れば念仏唱え、色好みの男も風呂に入れば殊勝《しゅしょう》なことに前を押さえ、戦好きの武士が頭から湯をかけられても混んでいるからと堪忍《かんにん》し、入れ墨をした粋《いき》もんも「御免なさい」と挨拶して入口で屈《かが》むのが銭湯の徳。湯は正直なもので、密かにおならをすれば、ぶくぶくとたちまち泡を生みだす。

『おもろさう《そ》し』

ゑ《え》け　上《あ》がる三日月《みかづき》や
ゑ《え》け　神《かみ》ぎや金真弓《かなまゆみ》
ゑ《え》け　上《あ》がる赤星《あかぼし》や
ゑ《え》け　神《かみ》ぎや金細矢《かなままき》
ゑ《え》け　上《あ》がる群《ぼ》れ星《ぼし》や
ゑ《え》け　神《かみ》が差《さ》し櫛《くせ》
ゑ《え》け　上《あ》がる虹雲《のちくも》は
ゑ《え》け　神《かみ》が愛《まな》きゝ《き》帯《おび》

沖縄古代民謡《おきなわこだいみんよう》

「琉球《りゅうきゅう》の万葉集」と言われる『おもろさうし』は、沖縄・奄美《あまみ》の島々に伝わる口誦の古謡「おもろ」千五百あまりを、首里《しゅり》政府が十六世紀から十七世紀にかけて採録した。神、天体、英雄、航海、風景、詩人、神話などを調《しら》べとともに歌う。オモロはウムイ（思い）が語形変化したもの、サウシは草子《そうし》とされる。なお古代語での「思い」とは「口にかけて唱える」「宣《のべ》る」を意味した。

沖縄学の父と呼ばれる伊波普猷《いはふゆう》は天体の美を歌ったこのオモロについて、「これは多分我らの祖先が夏の夜の航海中熱帯の蒼空《そうくう》を仰いで、星昴《せいぼう》の燦爛《さんらん》たるを観、覚えず声を発してその美の本源なる神を賛美したものであろう。調《しらべ》自ら整うて、宛然《えんぜん》奥妙なる音楽を聞くが如き思いがある」（『古琉球』岩波文庫）と解説する。果てのない大海原で星を見上げる環境で育った感性は、日本の和歌的感性とは違うスケールを持つ。「その想像の雄渾闊大《かつだい》なる、到底梅が枝に鶯の声を聞いて喜ぶ所の詩人の想い及ぶ所ではない」（同）。オモロに歌われた地名は唐、交趾《こうし》（ベトナム）、南蛮（タイ）にまで及ぶ。日の出の太陽を「明けてもどろの花」と言うなどオモロには魅力的な言葉も多い。だが島津藩による琉球支配以降、オモロは急速に衰退する。

口語要約（伊波普猷訳）

あれ　天《あめ》なる三日月は
あれ　御神《みかみ》の金真弓《かなまゆみ》
あれ　天なる明星《あかぼし》は
あれ　み神の金鏃《かなまき》

あれ　天なる群星《むれぼし》は
あれ　御神の花櫛《はなかざし》
あれ　天なる横雲《よこぐも》は
あれ　御神の御帯《みおび》

四、しみじみ味《あじ》わう

『静夜思《せいやし》』

牀前《しょうぜん》　月光《げっこう》を看《み》る
疑《うたが》うらくは是《こ》れ地上《ちじょう》の霜《しも》かと
頭《こうべ》を挙《あ》げて山月《さんげつ》を望《のぞ》み
頭《こうべ》を低《た》れて故郷《こきょう》を思《おも》う

牀前看二月光一
疑是地上霜
擧レ頭望二山月一
低レ頭思二故郷一

李白《りはく》

李白は、生を肯定する泥酔《でいすい》詩仙だ。日本で詩人といえば、繊細なイメージがあるが、李白は豪放磊落《ごうほうらいらく》で酒を好んだ。「**三百　六十日／日々　酔いて泥の如《ごと》し**」というのだから徹底している。酒は、からだの硬さを解きほぐす。からだが柔らかく液体化するとともに、共に酒を飲む相手のからだと液体的に混じり合う気がしてくる。伝説によれば、李白は酒に酔って川に映る月をとらえようとして溺死したという。

少年の頃から詩をつくり、任侠《にんきょう》の徒と交わり、湯水のように金を使ったと言われる。恋よりは、自然、酒、友情などを詠う自由奔放な作品が多い。表現も豪快で、悲しみの情が積もり積もったあまりに髪が長く伸びるさまを「白髪三千丈《さんぜんじょう》」と詠ったのも李白である。三千丈は約九キロメートルだ。

日本への影響も大きく、芭蕉の『おくのほそ道』の冒頭「月日は百代《はくたい》の過客《かかく》にして、行《ゆき》かふ年も又旅人也《またたびびとなり》」は、李白の「**夫《そ》れ／天地は　万物の逆旅《げきりよ》なり／光陰は　百代の過客なり／而《しか》して／浮生は夢の若し**」を下敷きとしている。

口語要約

寝床の前まで月の光が射し込んで、地上に降りた霜のように白く光っている。頭を上げて遠くの山月を眺め、うなだれて故郷を思う。

『震災《しんさい》』

今《いま》の世《よ》のわかき人々《ひとびと》
われにな問《と》ひそ今《いま》の世《よ》と
また来《く》る時代《じだい》の芸術《げいじゅつ》を。
われは明治《めいじ》の児《こ》ならずや。
その文化歴史《ぶんかれきし》となりて葬《ほうむ》られし時《とき》
わが青春《せいしゅん》の夢《ゆめ》もまた消《き》えにけり。
団菊《だんきく》はしをれて桜癡《おうち》は散《ち》りにき。

永井荷風《ながいかふう》

一葉《いちよう》落《お》ちて紅葉《こうよう》は枯《か》れ
緑雨《りよくう》の声《こえ》も亦《また》絶《た》えたりき。
円朝《えんちよう》も去《さ》れり紫朝《しちよう》も去《さ》れり。
わが感激《かんげき》の泉《いずみ》とくに枯《か》れたり。
われは明治《めいじ》の児《こ》なりけり。
或年《あるとし》大地《だいち》俄《にわか》にゆらめき
火《ひ》は都《みやこ》を燬《や》きぬ。
柳村先生《りゆうそんせんせい》既《すで》になく
鷗外漁史《おうがいぎよし》も亦姿《またすがた》をかくしぬ。

江戸文化《えどぶんか》の名残《なごり》　烟《けむり》となりぬ。
明治《めいじ》の文化《ぶんか》また灰《はい》とはなりぬ。
今《いま》の世《よ》のわかき人々《ひとびと》
我《われ》にな語《かた》りそ今《いま》の世《よ》と
また来《こ》む時代《じだい》の芸術《げいじゆつ》を。
くもりし眼鏡《めがね》ふくとても
われ今何《いまなに》をか見得《みう》べき。
われは明治《めいじ》の児《こ》ならずや。
去《さ》りし明治《めいじ》の世《よ》の児《こ》ならずや。

黙していた戦時下に編んだ私家版『偏奇館吟草《へんきかんぎんそう》』に収められた一篇。昭和二十一年に活字化した際に当初の『明治の児』から『震災』に改題した。これは、空襲で焦土と化した東京に、百年の計をなさざる国家に与えられた「天罰」と『断腸亭日乗《だんちょうていにちじょう》』で断じた関東大震災を重ね合わせたからとされる。

荷風にとっての明治とは、江戸文化の残る明治であった。『濹東綺譚《ぼくとうきたん》』の濹という字も文化年代に作られた字をわざわざ当てた。吉原を愛し、吉原の遊女が死後に無縁仏として埋葬された浄閑寺《じょうかんじ》（通称、投げ込み寺）に自分の墓が建てられることを望んだ遺志を継いで、この詩の詩碑が浄閑寺に建つ。

中村草田男《くさたお》の「**降る雪や明治は遠くなりにけり**」という句も想い起こされる。

団菊《だんきく》＝明治時代の歌舞伎俳優の九代目市川団十郎と五代目尾上菊五郎。桜癡《おうち》＝東京日日新聞社長になり、論壇・劇界で活躍した福地桜痴（本名源一郎）。一葉《いちよう》＝『たけくらべ』等の作者の樋口一葉。紅葉《こうよう》＝『金色夜叉』等の作者の尾崎紅葉。緑雨《りょくう》＝風刺小説と辛辣な評論で知られる斎藤緑雨。円朝《えんちょう》＝幕末・明治期の落語界の重鎮、三遊亭円朝。紫朝《しちょう》＝盲目の新内《しんない》語り、富士松紫朝。柳村《りゅうそん》＝訳詩集『海潮音』を著した上田敏の号。鷗外漁史《おうがいぎょし》＝明治・大正期の文豪、森鷗外。

『曾根崎心中《そねざきしんじゅう》』（徳兵衛《とくべえ》おはつ道行《みちゆき》）　近松門左衛門《ちかまつもんざえもん》

此《こ》の世《よ》のなごり。夜《よ》もなごり。死《し》に行《ゆ》く身《み》をたとふれ《う》ば　あだしが原《はら》の道《みち》の霜《しも》。一足《ひとあし》づゝ《ず》に消《き》えて行《ゆ》く。夢《ゆめ》の夢《ゆめ》こそ　あはれ《わ》なれ。あれ数《かぞ》ふれ《う》ば暁《あかつき》の。七《なな》つの時《とき》が六《む》つ鳴《な》りて残《のこ》る一《ひと》つが今生《こんじょう》の。鐘《かね》のひゞ《び》きの聞《き》きをさ《お》め。寂滅為楽《じゃくめついらく》と　ひゞ《び》くなり。鐘《かね》ばかりかは。草《くさ》も木《き》も空《そら》もなごりと見上《みあ》ぐれば。雲心《くもこころ》なき水《みず》のおと北斗《ほくと》はさえて影映《かげうつ》る星《ほし》の妹背《いもせ》の天《あま》の河《がわ》。梅田《うめだ》の橋《はし》を鵲《かささぎ》の橋《はし》と契《ちぎ》りていつまでも。我《われ》とそなたは女夫星《めおとぼし》。必《かなら》ず添《そ》ふ《う》とすがり寄《よ》り。二人《ふたり》が中《なか》に降《ふ》る涙《なみだ》　川《かわ》の水嵩《みかさ》もまさるべし。

近松門左衛門は、虚実をとりまぜ、下世話《げせわ》なものも美に変える日本のシェイクスピアだ。近松の手にかかれば、悲惨な心中さえも極限的に美しい愛の世界に浄化される。まさに愛の錬金術師。生身のような人形が、ままならぬこの世の不幸を代わりに背負って美しく死んでいく。

『曾根崎心中』は町人社会に題材を得る「世話物浄瑠璃《せわものじようるり》」のスタイルをつくった画期的作品だ。大坂商家の手代《てだい》徳兵衛が遊女おはつと契《ちぎ》り合うが、金をだまし取られて心中に至る。この道行《みちゆき》は、心中の地の曾根崎に行くまでのしみじみした場面だ。人形浄瑠璃（文楽）では、義太夫節と呼ばれる独特の節回しでゆっくりと三味線伴奏で語られる。七五調なので、声に出すと味わい深い。

文楽の人形遣いの超絶技巧には啞然《あぜん》とする。首の傾け方ひとつで感情の微妙な揺れ動きが伝わる。身体的コミュニケーションの極致だ。おはつが面を伏せるだけで心惹かれてしまう。おはつの人形が楽屋で壁にぶら下がっているのは想像するだに怖ろしい。現実以上の身体表現力は、三人一組の息の合った技の結晶だ。舞台直前に、人形に息を吹きかけて生命を吹き込むのだという。

美しい息の文化だ。これほどの身体表現を成熟させた江戸時代は、庶民の身体文化の宝庫である。

口語要約

この世も今宵限り、死にに行く身は足元の霜が消えていく夢の中の夢のようにはかない。暁を告げる鐘の音もこれ限り、煩悩《ぼんのう》を脱してこそ楽があると聞こえる。草木も空も今生の見納めと眺めれば、雲は無心に空にあり、水も無心に音をたてて流れ、北斗星は冴えて水に影を映す。梅田の橋を、牽牛《けんぎゆう》織女《しよくじよ》のために天の川にかけた鵲の橋と契り、永遠に二人は夫婦、必ずそうなろうと泣く涙で川の水も増えるにちがいない。

『大漁《たいりよう》』

朝焼《あさやけ》小焼《こやけ》だ
大漁《たいりよう》だ
大羽《おおば》鰮《いわし》の
大漁《たいりよう》だ。

浜《はま》は祭《まつ》りの
ようだけど
海《うみ》のなかでは

金子みすゞ《ず》

何万《なんまん》の
鰮《いわし》のとむらい
するだろう。

　金子みすゞは、宮沢賢治と並ぶアニミズムの巨匠である。アニミズムは、あらゆるものに生命を認める考え方だ。動物や植物をはじめとして、場合によっては石までも生きているとする世界観である。原始的な宗教や子どもの心性に典型的に見られる。宮沢賢治は『楢ノ木大学士の野宿』で地中の鉱石たちの声を聴く力を描いているし、金子みすゞは、石ころを「**きのうは子どもを／ころばせて／きょうはお馬を／つまずかす**」と歌っている。みすゞの作品を発掘した矢崎節夫はみすゞの童謡を「小さいもの、力の弱いもの、無名なもの、無用なもの、この地球という星に存在する、すべてのものに対する、祈りのうただった」と言っている。みすゞは山口県の仙崎という漁師町で育ち、大羽《おおば》鰮《いわし》の時期には夜中じゅう子どもまでが総出でにぎやかに地引き網の綱を引いたという。この詩の持つ力はそうした原風景からきているのだろう。

『方丈記《ほうじょうき》』　鴨長明《かものちょうめい》

ゆく河《かわ》の流《なが》れは絶《た》えずして、しかも、もとの水《みず》にあらず。淀《よど》みに浮《うか》ぶうたかたは、かつ消《き》えかつ結《むす》びて、久《ひさ》しくとゞ《ど》まりたる例《ためし》なし。世中《よのなか》にある人《ひと》と栖《すみか》と、またかくのごとし。たましきの都《みやこ》のうちに、棟《むね》を並《なら》べ、甍《いらか》を争《あらそ》へ《え》る、高《たか》き、いやしき、人《ひと》の住《すま》ひ《い》は、世々《よよ》を経《へ》て盡《つ》きせぬものなれど、これをまことかと尋《たず》ぬれば、昔《むか》しありし家《いえ》は稀《まれ》なり。或《あるい》は去年《こぞ》焼《や》けて今年《ことし》作《つく》れり。或《あるい》は大家《おおいえ》亡《ほろ》びて小家《こいえ》となる。住《す》む人《ひと》もこれに同じ。所《ところ》も変《かわ》らず、人《ひと》も多《おお》かれど、いにしへ見《えみ》し人《ひと》は、二三十人《にさんじゅうにん》が中《うち》に、わづ《ず》かにひとりふたりなり。朝《あした》に死《し》に、夕《ゆうべ》に生《うま》るゝ《る》ならひ《い》、たゞ《だ》水《みず》の泡《あわ》にぞ似《に》たりける。

鴨長明は、無常観ポップスの大御所だ。日本の中世では無常観は万人に愛され認められていた思想である。当時の文学作品に無常観は裏地として張り付いている。この『方丈記』の冒頭は、表現の緊密さとリズムの良さから『平家物語』の冒頭とともに横綱級の人気を誇る。

『方丈記』は、人の身と栖《すみか》のはかなさをテーマとしている。遊牧民や石造りの家に住む民族とはまったく異なる栖のイメージだ。栖は、この世における人間の居場所のことだが、当時の日本の住居の災害時の弱さがはかないイメージを助長している。長明は、大火、辻風《つじかぜ》、遷都、飢饉、地震という五大災厄を経験している。栖のはかなさを感じるのであれば、堅固な家に住めばよいわけだが、長明は一丈四方（畳四畳半の広さ）つまり方丈《ほうじょう》の庵《いおり》に閑居《かんきょ》し、安静を得るのだ。はかなさに徹する美学である。

口語要約　川の水は絶えることなく流れて元の水のままではない。淀みに浮かぶ水の泡も消えたり結んだりで、同じ状態にはない。世の人と住まいもこのようなものだ。立派な都に競って家を建てるのはいつの時代も変わらないが、気をつけて見ると、昔からある家はまれで、昨年に焼けて今年つくったり、大きな屋敷が滅びて小さな家になったり。住む人も同じで、土地は変わらず人も多いように見えても、昔見たことのある人は二、三十人のうちわずか一人か二人。人の命のはかなさは水の泡のようなものだ。

『荒城《こうじょう》の月《つき》』

春高楼《はるこうろう》の花《はな》の宴《えん》
めぐる盃《さかずき》かげさして
千代《ちよ》の松《まつ》が枝《え》わけいでし
むかしの光《ひかり》いまいずこ

秋陣営《あきじんえい》の霜《しも》の色《いろ》
鳴《な》きゆく雁《かり》の数《かず》見《み》せて
植《う》うるつるぎに照《て》りそいし
むかしの光《ひかり》いまいずこ

土井晩翠《つちいばんすい》

いま荒城《こうじょう》のよわの月《つき》
替《かわ》らぬ光《ひかり》たがためぞ
垣《かき》に残《のこ》るはただかづ《ず》ら
松《まつ》に歌《うた》うはただあらし

天上影《てんじょうかげ》は替《かわ》らねど
栄枯《えいこ》は移《うつ》る世《よ》の姿《すがた》
写《うつ》さんとてか今《いま》もなお
嗚呼《ああ》荒城《こうじょう》のよわの月《つき》

壮大な野心の達成と滅びの美学。杜甫《とほ》が『春望《しゅんぼう》』で歌い、松尾芭蕉が『おくのほそ道』で「夏草や」と詠んだように、古城のロマンには伝統がある。土井晩翠は、学生時代に遊んだ会津の若松城や郷里の仙台の青葉城の印象をこの詩に込め、滝廉太郎は少年時代を過ごした大分・竹田の岡城を心に思い描いて作曲した。二つの古城ロマンが合致して名曲が生まれた。

『荒城の月』は廉太郎二十二歳のときの作曲である。天賦《てんぷ》の才を認められた廉太郎はライプチヒ音楽学校に留学するが、病に罹《かか》り、帰国を余儀なくされる。帰国船がロンドンに停泊中、留学していた晩翠が見舞い、最初で最後の出会いを果たす。晩翠はこの奇遇をこう詠った。**「ドイツを去りて東海の／故山《こざん》に疾《や》みて帰る君／テームス埠頭《ふとう》送りしは／三十余年そのむかし／あゝうら若き天才の／音容今も髣髴《ほうふつ》と／浮かぶ皓々《こうこう》明月の／光の下の岡の城」**

『荒城の月』は朗々と歌い上げるのもいいが、一人でつぶやくようにして歌うのもいい。詩をつぶやいているうちに自然に廉太郎の曲になる。曲から詩の語りに戻るのも自然にできる。詩と曲の「品格」が、からだ全体を響きとして満たしていくのが心地いい。

『春望《しゅんぼう》』

杜甫《とほ》

国破《くにやぶ》れて山河《さんが》あり
城春《しろはる》にして草木深《そうもくふか》し
時《とき》に感《かん》じて花《はな》にも涙《なみだ》を濺《そそ》ぎ
別《わか》れを恨《うら》んで鳥《とり》にも心《こころ》を驚《おどろ》かす
烽火《ほうか》　三月《さんげつ》に連《つらな》り
家書《かしょ》　万金《ばんきん》に抵《あた》る
白頭《はくとう》　掻《か》けば更《さら》に短《みじか》く
渾《すべ》て簪《しん》に勝《た》えざらんと欲《ほっ》す

国破山河在
城春草木深
感レ時花濺レ涙
恨レ別鳥驚レ心
烽火連二三月一
家書抵二万金一
白頭掻更短
渾欲レ不レ勝レ簪

杜甫は「浪人」生活を技と化していた、試験落ちまくりの苦労人である。杜甫は誠実な人柄で、社会の矛盾や人生の苦悩を歌う詩が多い。たびたび官吏登用試験に落ち、不遇のうちに放浪した。半端な放浪ではない。あの広大な中国全土を移動しているのだから大変なパワーだ。『春望』は、安禄山《あんろくざん》の乱で捕虜になったときに、田舎にあずけた家族や都の長安を想ってつくった詩である。芭蕉の「**夏草や兵《つわもの》どもが夢の跡**」や『荒城の月』のイメージの原型になっている。

小学校長の前島正俊先生は五年生と『春望』を素読する授業を行い、こう記している。「難しく考えないで声にだして素読を楽しめればいい。そのために、子どもたちには腹に力を入れて朗々とだしてほしい、心を合わせてほしい、そこで生れる漢詩のひびきが心地いいものであってほしい……『今日は姿勢をよくして声を前へだすようにがんばって下さい』そう呼びかけて一節ずつ、私の後について音読する。黒板の方をまっすぐみつめ、しっかりと声をだしている。クラスの声が一つの厚みになって、心地よいひびきを生みだしていた」

漢詩は、声の厚みのある響きを実感するのに適したテキストだ。『春望』は対句形式の律詩で、句同士がすでに響き合っている。

口語要約

乱で国は破壊されたが、山河は超然として残っている。町には春がめぐってきて草木も茂っているが、時世を感じて花を見るにつけても涙が出、鳥の声にもびくっと驚く。烽火《ほうか》（のろし）は三か月もつづいて、家からの便りは万金にあたいする。白髪頭を掻くと、髪が薄くなり、簪《かんざし》もさせない。

『伊《い》勢《せ》物語《ものがたり》』

むかし、を《お》とこありけり。そのを《お》とこ、身《み》をえ《よ》うなき物《もの》に思《おも》ひ《い》なして、京《きよう》にはあらじ、あづ《ず》まの方《かた》に住《す》むべき国求《くにもと》めにとて行《ゆ》きけり。もとより友《とも》とする人《ひと》ひとりふたりしていきけり。道《みち》知《し》れる人《ひと》もなくて、まどひ《い》きけり。三河《みかわ》の国《くに》、八橋《やつはし》といふ《う》所《ところ》にいたりぬ。そこを八橋《やつはし》といひ《い》けるは、水《みず》ゆく河《かわ》の蜘蛛手《くもで》なれば、橋《はし》を八《や》つわたせるによりてなむ《ん》八橋《やつはし》といひ《い》ける。その沢《さわ》のほとりの木《き》の蔭《かげ》に下《お》りゐ《い》て、乾飯《かれいい》食《くい》ひ《い》けり。その沢《さわ》にかきつばたいとおもしろく咲《さ》きたり。それを見《み》て、ある人《ひと》のいは《わ》く、「かきつばたといふ五文字《いつもじ》を句《く》の上《かみ》にすゑ《え》て、旅《たび》の心《こころ》をよめ」といひ《い》ければ、よめる。

から衣《ころも》きつゝ《つ》なれにしつましあればはるぐ《ばる》きぬる旅《たび》をしぞ思《おも》ふ《う》（1）

名《な》にし負《お》は《わ》ばいざこととは《わ》む《ん》都鳥《みやこどり》わが思《おも》ふ《う》人《ひと》はありやなしやと（2）

以上（九段・東下《あずまくだ》り）

月《つき》やあらぬ春《はる》や昔《むかし》の春《はる》ならぬわが身《み》ひとつはもとの身《み》にして（3）（四段）

筒井《つつい》つの井筒《いづつ》にかけしまろがたけ過《す》ぎにけらしな妹見《いもみ》ざるまに（4）

くらべこし振分髪《ふりわけがみ》も肩《かた》すぎぬ君《きみ》ならずして誰《たれ》かあぐべき（5）

風吹《かぜふ》けば沖《おき》つ白浪《しらなみ》たつた山夜半《やまよわ》にや君《きみ》がひとりこゆらむ《ん》（6）以上（二十三段・筒井筒《つついつつ》）

『伊勢物語』は、「凝縮されたはかなさ」のパッチワークである。百二十五の独立した話でできている。一つひとつは驚くほど短い。二行のものもある。多くが「むかしをとこ（ありけり）」で始められ、色男在原業平《ありわらのなりひら》の一代記として編まれている。「東下り」の「身を要なき物に思ひなして東国へ下る」は、自分で自分の身を不要なものだと思い定めたということであり、「退く」という生の美学がある。はかなさを積極的に味わう構えである。

話は短くてもプロット（筋書き）を持っている。想像が拡がってドラマや小説にしてしまえる魅力がある。手塚治虫は六段目の物語（芥川）をアレンジして『火の鳥』に生かしている。『伊勢物語』が想像力をかき立てるのは、歌物語だからでもある。和歌を幹《みき》として枝葉の物語が作られている。和歌は凝縮された詩の型式なので、前後の文脈を想像させる力を持っている。

口語要約　昔、一人の男がいた。男は自分が用のない存在に思え、東国に居を求めようとわずかの友を連れて出かけた。三河の国の八ツ橋というところに出た。川が蜘蛛手に分かれ橋を八つかけているから八ツ橋と言う。その沢に杜若《かきつばた》が趣き深く咲いているのを見てある人が、「かきつばたの五文字を入れて旅の思いを詠め」と言ったので、男は次のように詠んだ。(1)「着慣れた唐衣のように慣れ親しんだ京の妻を思うと、ここまで来た旅の遠さが思われる」(2)都という名を負うなら都鳥よ、尋ねよう。私の思う人は無事か否か。(3)月も春も昔と同じではないのに私の身ばかり昔と同じだ。(4)井戸の縁に足りなかった私の背があなたを見ないうちに越した。(5)長さを比べた振り分け髪も肩を越し、あなた以外誰のために髪を上げましょう。(6)立田山《たつたやま》をあなたは夜、一人で越えていくのだろうか。

『おくのほそ道《みち》』

松尾芭蕉《まつおばしょう》

月日《つきひ》は百代《はくたい》の過客《かかく》にして、行《ゆき》かふ年《とし》も又旅人《またたびびと》也《なり》。舟《ふね》の上《うえ》に生涯《しょうがい》をうかべ、馬《うま》の口《くち》とらへて老《お》いをむかふる物《もの》は、日々旅《ひびたび》にして旅《たび》を栖《すみか》とす。古人《こじん》も多《おお》く旅《たび》に死《し》せるあり。予《よ》もいづれの年《とし》よりか、片雲《へんうん》の風《かぜ》にさそはれて、漂泊《ひょうはく》の思《おも》ひやまず、……(1)

行春《ゆくはる》や鳥啼魚《とりなきうお》の目《め》は泪《なみだ》(2)　（出立《しゅったつ》）

夏草《なつくさ》や兵《つわもの》どもが夢《ゆめ》の跡《あと》(3)　（平泉《ひらいずみ》）

五月雨《さみだれ》の降《ふ》りのこしてや光堂《ひかりどう》（4）　（平泉《ひらいずみ》）

蚤虱《のみしらみ》馬《うま》の尿《ばり》する枕《まくら》もと（5）　（尿前《しとまえ》の関《せき》）

閑《しずか》さや岩《いわ》にしみ入《いる》蟬《せみ》の声《こえ》（6）　（立石寺《りゅうしゃくじ》）

暑《あつ》き日《ひ》を海《うみ》にいれたり最上川《もがみがわ》（7）　（酒田《さかた》）

荒海《あらうみ》や佐渡《さど》によこたふ《う》天河《あまのがわ》（8）　（越後路《えちごじ》）

蛤《はまぐり》のふたみにわかれ行秋《ゆくあき》ぞ（9）　（大垣《おおがき》）

松尾芭蕉の紀行文が魅力的な理由の一つは、旅の先々に俳諧《はいかい》の友が待っているからである。友を訪ねながら巡る旅は楽しい。歩きながら言葉を拾い、あれこれ吟味《ぎんみ》するのも体と心のリズムが合って楽しい。

俳諧は、一つの場を共有するものが句を継いでいく「座《ざ》」という日本独特の文芸の型式を持つ。尾方仂《つとむ》の『座の文学』（講談社学術文庫）によれば、座は「孤独を自覚する者同士が、日常性とは別次元の関係でつながり、生きる楽しみを共にする」場である。芭蕉は自分の足で奥の細道を歩くことで、関東・東北・北陸を一つの巨大な「座の言語空間」につくりあげた。『おくのほそ道』はさらにそれを文学的に再構成して作品とした。

口語要約　（1）月日は永遠の旅人、往き交う年もまた旅人である。舟子《ふなこ》も馬子《まご》も日々が旅で、旅をすみかとし、旅に死んだ古人も多い。私もいつの頃からか漂泊の思いがやまず、……。（2）春の行く季節に自分も旅立つ。鳥は泣き、魚も涙しているようだ。（3）今は夏草茂るこの丘は武将たちが功を競った夢の跡である。（4）五月雨が降り残したのか。光堂が輝いている。（5）ノミ、シラミに眠れない枕元に馬小屋で馬の放尿する音が響く。（6）静かな山寺の岩にしみ入るように蟬の声が澄みわたる。（7）最上川の滔々《とうとう》たる水流が暑い日を海に流したように涼しい日没。（8）日本海の荒海の上に佐渡ケ島にかけて天の川が大きく横たわっている。（9）行く秋に蛤の蓋《ふた》と身のように送る人、行く人に別れ私は行く。

五、季節《きせつ》・情景《じょうけい》を肌《はだ》で感《かん》じる

『雪《ゆき》』

太郎《たろう》を眠《ねむ》らせ、太郎《たろう》の屋根《やね》に雪《ゆき》ふりつむ。
次郎《じろう》を眠《ねむ》らせ、次郎《じろう》の屋根《やね》に雪《ゆき》ふりつむ。

三好達治《みよしたつじ》

男の子はみんなバリアが好きだ。「バリア張った」と宣言すると他の子は自分に触ることはできない。バリアの中は完全な安全地帯だ。屋根は雪の冷たさから身を守るバリアになっている。そして降り積もった雪もまたバリアになって、内部を暖める。井伏鱒二は、「四歳か五歳かの太郎次郎が青い鳥を探しあぐね、疲れきつて寝所で眠つてゐる。ところが青い鳥は、いつの間にか囲炉裏端に来て泊つてゐる。こんな説明は蛇足だが、ともかくこの詩は、今、しんしんと雪を降りつもらせてゐる」という解釈をした。昼間、活発に動きまわっている男の子ほどぐっすり眠る。狭いところに入り込んだり、押入れで寝たがったりするのは、そういえば男の子に多いような気がする。男の子ゆえに母胎回帰願望が強いのかもしれない。

重い布団は意外にぐっすり眠れる。適度な重さはからだをリラックスさせる。野口体操を創始した野口三千三《みちぞう》は、重さという神の声をからだで聴くことを体操だと言っている。白隠《はくいん》禅師は、軟蘇《なんそ》の法というイメージ法で衰弱した心身を癒した。おいしい栄養のあるチーズのようなものが頭の上にあって、それが徐々に溶けてからだじゅうに浸透していくようにイメージするのである。重力に身を任せてからだが液体のようになっていくほどリラックスできる。しんしんと積もる雪は、重力の存在を易しい形で私たちに思い起こさせる。

もともと神の領域に近い子どもという存在は、熟睡のなかで完全に神の領域に帰る。眠る子を見ていて飽きないのはそのためかもしれない。「太郎を眠らせ次郎を眠らせ」たのは、雪が象徴する重力という神ではないか。この詩からは、音なき音が聴こえてくる。

『枕草子《まくらのそうし》』

清少納言《せいしょうなごん》

春《はる》はあけぼの。や《よ》うや《よ》うしろくなり行《ゆ》く、山《やま》ぎは《わ》はすこしあかりて、むらさきだちたる雲《くも》のほそくたなびきたる。

夏《なつ》はよる。月《つき》の頃《ころ》はさらなり、やみもなほ《お》、ほたるの多《おお》く飛《と》びちがひ《い》たる。また、ただひとつふたつなど、ほのかにうちひかりて行《ゆ》くもを《お》かし。雨《あめ》など降《ふ》るもを《お》かし。

秋《あき》は夕暮《ゆうぐれ》。夕日《ゆうひ》のさして山《やま》のはいとちか《こ》うなりたるに、からすのねどころへ行《ゆ》くとて、みつよつ、ふたつみつなどとびいそぐさへ《え》あは《わ》れなり。まいて雁《かり》などのつらねたるが、いとちひ《い》さくみゆるはいとを《お》かし。日入《ひい》りはてて、風《かぜ》の音《おと》むしのねなど、はたいふ《う》べきにあらず。

冬《ふゆ》はつとめて。雪《ゆき》の降《ふ》りたるはいふ《う》べきにもあらず、霜《しも》のいとしろきも、またさらでもいと寒《さむ》きに、火《ひ》などいそぎおこして、炭《すみ》もてわたるもいとつきづきし。昼《ひる》になりて、ぬるくゆるびもていけば、火桶《ひおけ》の火《ひ》もしろき灰《はい》がちになりてわろし。

清少納言は、「価値感ねえさん」だ。近頃は価値観ならぬ価値感が大手を振って歩いている。自分の感覚を第一に価値を決めていくやり方だ。彼女は、この価値感スタイルの元祖だ。深い情感を伴う「あはれ」とは違う、知的感覚による「をかし」の価値判断スタイルをつくりだした。

持ち味は、「歯切れの良さ」だ。好きなものは好き、嫌いなものは嫌いとはっきり言いきる。「近うて遠きもの」として「はらから（兄弟姉妹）・親族の中」をあげ、「遠くて近きもの」として「極楽。舟の道。人の中（男女の仲）」を挙げている。常に具体物を挙げて簡潔に表現する技は見事だ。歯切れがいいだけに、「言いすぎ」もまた持ち味だ。一八九段では、美人が歯痛で泣いて真っ赤になっているのを「いとをかし（滑稽）」と書いている。この過剰さは憎めない。

口語要約

春は曙。しだいに空が白《しら》み、稜線に紫の雲がなびくのがよい。夏は夜。月夜がよいが、闇夜に螢が飛んだり、雨の夜も風情がある。秋は夕暮れ。ねぐらに急ぐ烏や雁の飛ぶ姿、日が落ちて風や虫の音が聞こえてくるのもよい。冬は早朝。雪の降る朝はもちろん、霜の朝に急いで火を熾《おこ》して、炭を持ち運ぶ姿もよい。昼になって寒さがゆるみ、火桶の炭が白い灰がちになるのはみっともない。

『夏《なつ》は来《き》ぬ』

佐佐木信綱《ささきのぶつな》

一　うの花《はな》のにおう垣根《かきね》に、時鳥《ほととぎす》
早《はや》もきなきて、忍音《しのびね》もらす　夏《なつ》は来《き》ぬ。

二　さみだれのそそぐ山田《やまだ》に、早乙女《さおとめ》が
裳裾《もすそ》ぬらして、玉苗《たまなえ》うううる　夏《なつ》は来《き》ぬ。

三　橘《たちばな》のかおるのきばの窓近《まどちか》く
螢《ほたる》とびかい、おこたり諫《いさ》むる　夏《なつ》は来《き》ぬ。

四　棟《おうち》ちる川《かわ》べの宿《やど》の門遠《かどとお》く、
水雞《くいな》声《こえ》して、夕月《ゆうづき》すずしき　夏《なつ》は来《き》ぬ。

五　さつきやみ、螢《ほたる》とびかい、水雞《くいな》なき、
卯《う》の花《はな》さきて、早苗《さなえ》うえわたす　夏《なつ》は来《き》ぬ。

私は子どもの頃この歌が好きだったが、「夏は来ない」と繰り返して歌うのを不思議に思っていた。この疑問は、高校の古文の授業で助動詞「ぬ」には、未然形接続の打ち消し（こぬ）と連用形接続の完了（きぬ）があることを知り、氷解した。この詩をつくった佐佐木信綱は、俵万《たわらま》智《ち》の師匠に当たる佐佐木幸綱《ゆきつな》の祖父で、歌人としてだけではなく『万葉集』研究者として名高い人物である。短歌としては「**ゆく秋の大和の国の薬師寺の塔の上なるひとひらの雲**」が知られている。

卯《う》の花はウツギの花のことで、がく筒が鐘の形をした白い花だ。梅雨明けの田植えの時期を歌っている。卯の花や橘《たちばな》が香り、夏鳥のホトトギスや水雞《くいな》が鳴いて、螢が飛び交い、棟《おうち》（センダンの古名）の花が川辺に散る、水豊かな田植えの風景は、日本の初夏の季節感を凝縮している。一年じゅう歌ったり聴いたりできる歌もいいが、夏の初めや秋の終わりだけの歌を持つことはたいへんな贅沢だ。

田植えを手伝ったことがあるが、ぬるい水の中で柔らかな土を踏むと慣れていないせいか、足の裏がもぞもぞとくすぐったくなる。足の裏が刺激されると全身のエネルギーが動きだす。生命の盛りの季節である夏の到来を、足裏のむずむず感からも感ずることができる。

与謝《よさ》蕪村《ぶそん》

春《はる》の海終日《うみひねもす》のたりくのたりく哉《のたりかな》

菜《な》の花《はな》や月《つき》は東《ひがし》に日《ひ》は西《にし》に

【春《はる》】

地車《じぐるま》のとゞろとひゞく牡丹《ぼたん》かな

さみだれや大河《たいが》を前《まえ》に家二軒《いえにけん》

【夏《なつ》】

門《もん》を出《いず》れば我《われ》も行人秋《ゆくひとあき》のくれ

月天心貧《つきてんしんまず》しき町《まち》を通《とお》りけり

【秋《あき》】

葱買《ねぶかこう》て枯木《かれき》の中《なか》を帰《かえ》りけり

宿《やど》かせと刀《かたな》投出《なげだ》す雪吹哉《ふぶきかな》

【冬《ふゆ》】

絵と俳句は似ている。どちらも流れ変化していく現実を一瞬止め、本質を表現する。蕪村の句は、現実を写生するスタイルだ。蕪村は超一流の画家でもあり、「文人」の代表である。蕪村の絵は俳句と同様、写実的で輪郭が明確だ。現実の輪郭をきちんと捉えるのは大人の技である。蕪村の俳句を口にすると、叙情とともに一枚の絵が心に浮かび上がる。月が天の中心にあって明るく町を照らす。しかし、それは貧しい町だ。このアンバランスさを通り抜けて行く者の叙情をも、この写実的な句は含んでいる。心を持つ月が町を通り行くイメージも喚起される。

持ち歌や持ちネタと言うときの「持《もち》」はその人のスタイルを象徴的に表す。ゴッホの糸杉《いとすぎ》やひまわりのように、牡丹の花は蕪村の「持」だ。牡丹は艶やかな花だ。その明確な輪郭と鮮やかな色彩は、一輪だけで部屋の雰囲気を贅沢にする。**「山蟻《やまあり》のあからさま也白牡丹《なりはくぼたん》」**力を持ちすぎたものが孤独になりやすいように、牡丹にも孤高の寂しさが漂う。**「寂《せき》として客の絶間《たえま》のぼたん哉」**牡丹の持つ力と輪郭は、蕪村のスタイルに合っている。

しかし、蕪村は孤独な人ではなかった。文人仲間がいた。集まって句会をしたり、書簡で句をやりとりできる関係は人生の喜びだ。そのうえ蕪村はスタイルの系譜として、前世に芭蕉を持ち、後世に子規を持っている。さみだれの句はもちろん芭蕉の「五月雨《さみだれ》をあつめて早し最上川」を意識している。芭蕉の蕉風《しょうふう》に自分のスタイルを見出し、子規によって写生という自分のスタイルを発掘された蕪村は、幸福な系譜関係に生きたと言える。

『春暁《しゅんぎょう》』

春眠《しゅんみん》　暁《あかつき》を覚《おぼ》えず
処処《しょしょ》に啼鳥《ていちょう》を聞《き》く
夜来《やらい》　風雨《ふうう》の声《こえ》
花《はな》落《お》つること知《し》んぬ多少《たしょう》ぞ

春眠不レ覺レ暁
處處聞二啼鳥一
夜来風雨聲
花落知多少

孟浩然《もうこうねん》

第一句はあまりにも有名だが、第二句以下を正確に言える人は少ないだろう。二句以下は、世俗を捨てた孟浩然の風流がでているが、やはり第一句のインパクトにはかなわないということか。しかし二句以下も声に出して詠んでみると味わいがある。夜の風によって散ったであろう花を想像するのは「風流」だ。

これは爆睡して寝坊したときの言い訳に使われることもある。暖かいふとんの中で夢うつつの気分で鳥の声を聞くのは春でなくても心地いい。私はもともと朝寝坊だが、「よく眠れるのはエネルギーがあるからだ」という説を信じて以来、いっそうよく眠れるようになった。

李白は年長の孟浩然に「**吾《われ》は愛す孟夫子《もうふうし》／風流天下に聞こゆ**」という詩を贈っている。李白は孟の「風流」にあこがれた。この場合の「風流」とは、感覚や趣味の問題だけではなく、役人にならずに山中で自然と酒を楽しむ生き方のスタイルのことである。こうした生き方の裏には多くの世俗的な欲望へのあきらめがある。そう思って第一句を詠むと、寝坊とはまったく違った趣が味わえる。

口語要約

春は眠くて夜明けも気づかない。あちこちで鳥が啼《な》き、夜中に風雨の声が聞こえた。どれだけ花が散ったことであろう。

『花《はな》』

春《はる》のうららの隅田川《すみだがわ》、
のぼりくだりの船人《ふなびと》が
櫂《かい》のしづ《ず》くも花《はな》と散《ち》る、
ながめを何《なに》にたとふ《う》べき。

見《み》ずやあけぼの露浴《つゆあ》びて、
われにもの言《い》ふ《う》桜木《さくらぎ》を、
見《み》ずや夕《ゆう》ぐれ手《て》をのべて、
われさしまねく青柳《あおやぎ》を。

武島羽衣《たけしまはごろも》

錦《にしき》おりなす長堤《ちょうてい》に
くるればのぼるおぼろ月《づき》。
げに一刻《いっこく》も千金《せんきん》の
ながめを何《なに》にたとふ《う》べき。

『花』は滝廉太郎の作曲として有名だが、作詞者の武島羽衣はあまり知られていない。羽衣というので、うら若き乙女と思いきや、男も男、明治詩壇において藤村、晩翠と並び称される帝大出の大御所であった。墨田公園の『花』の歌碑は、羽衣の弟子たちによって建てられた。

万葉集の大伴家持《おおとものやかもち》の「**うらうらに照れる春日《はるひ》に雲雀《ひばり》あがり情《こころ》悲しも独りしおもへば**」という歌にあるように、うらら（うらうら）はのどかな春の日を象徴する。花はむろん桜である。

『花』は滝廉太郎が組歌『四季』をつくるときに春の季節用に採ったものだ。この詩が日本の春のイメージを代表するものだと感じたのだろう。廉太郎は、外国の名曲に日本語の字句を割り当てるやり方を批判し、日本語の詞と曲がぴったりと合った高度な歌曲を目指した。古典主義的な美文が意味以前に響きとして心に入り、春のイメージを豊かにする。重唱したのが懐かしい。

『たけくらべ』

樋口一葉《ひぐちいちよう》

廻《まわ》れば大門《おおもん》の見返《みかえ》り柳《やなぎ》いと長《なが》けれど、お歯《は》ぐろ溝《どぶ》に燈火《ともしび》うつる三階《さんがい》の騒《さわ》ぎも手《て》に取《と》る如《ごと》く、明《あ》けくれなしの車《くるま》の行来《ゆきき》にはかり知《し》られぬ全盛《ぜんせい》をうらなひて、大音寺前《だいおんじまえ》と名《な》は仏《ほとけ》くさけれど、さりとは陽気《ようき》の町《まち》と住《す》みたる人《ひと》の申《もうし》き、三嶋神社《みしまさま》の角《かど》をまがりてより是《こ》れぞと見《み》ゆる大厦《いえ》もなく、かたぶく軒端《のきば》の十軒長屋《じつけんながや》二十軒長《にじつけんなが》や、商ひ《あきない》はかつふつ利《き》かぬ処《ところ》とて半《なかば》さしたる雨戸《あまど》の外《そと》に、あやしき形《なり》に紙《かみ》を切《き》りなして、胡粉《ごふん》ぬりくり彩色《さいしき》のある田楽《でんがく》みるやう、裏《うら》にはりたる串《くし》のさまもをかし、……

「貧《ひん》すれば鈍《どん》する」という言葉があるが、樋口一葉には「貧するほどに鋭さを増す」気概と才能があった。母と妹との女三人の暮らしになり、一家が衰運《すいうん》に傾く過程で、一葉は和歌修業のため上流階級の子女が多く集まる「萩《はぎ》の舎《や》」に入門したが、令嬢たちの生活水準にひけめを感じた。

一葉の切れめのない流れるような文章は、天性の写実力に裏打ちされている。「**秋の新仁和賀《しんにわか》には十分間《じつぷんかん》に車の飛ぶ事、此《この》通りのみにて七十五輛と数へしも**」（たけくらべ）や「**おい木村さん、信《しん》さん、寄つてお出《いで》よ、お寄りといつたら寄つても宜《い》いではないか。又《また》素通りで二葉《ふたば》やへ行く気《き》か、押かけて行つて引ずつて来るからさう思ひな**」（にごりえ）などといった描写には、一葉自身が花街吉原《はなまちよしはら》の裏手の下谷《したや》竜泉寺《りゆうせんじ》町で荒物屋《あらもの》を営んでいた時代に鍛えられた写実力が生きている。若い素人《しろうと》の女性が蔑視《べつし》への怒りと、もどかしさを秘めながら冷静に色街《いろまち》を写実する文章に世間は瞠目《どうもく》したにちがいない。一葉の文章は読点でつなげられ、一文が非常に長い。馴れてくると、これが走馬灯《そうまとう》のようで心地いい。

口語要約

表通りを回ると大門の見返り柳まで遠いが、吉原遊廓を囲うお歯黒溝に店の灯が映り、三階の騒ぎが手にとるよう、昼夜なしの人力車の往来に繁盛も窺えて、大音寺前と名前は仏くさいが陽気な町だと住む人は言う。三島神社の角を曲がると目立つ家もなく貧しげな長屋がつづき、商売は駄目なところとて昼から半ば閉ざした雨戸の外に、妙な形に紙を切り胡粉《ごふん》で彩色したものを吊しているのは田楽のようでおかしい。

正岡子規《まさおかしき》

柿《かき》くへ《え》ば鐘《かね》が鳴《な》るなり法隆寺《ほうりゅうじ》

くれなゐ《い》の二尺《にしゃく》伸《の》びたる薔薇《ばら》の芽《め》の針《はり》やはら《わ》かに春雨《はるさめ》のふる

瓶《かめ》にさす藤《ふじ》の花《はな》ぶさみじかければたゝ《た》みの上《うえ》にとゞ《ど》かざりけり

いくたびも雪《ゆき》の深《ふか》さを尋《たず》ねけり

糸瓜咲《へちまさき》て痰《たん》のつまりし仏《ほとけ》かな

痰一斗糸瓜《たんいっとへちま》の水《みず》も間《ま》にあは《わ》ず

を《お》ととひ《い》のへちまの水《みず》も取《と》らざりき

「才気を持てあます」「才気ばしる」という言葉がある。才気にあふれた人が必ずしも偉大な仕事を残せるわけではない。しかし、子規はあふれる才気の扱い方においてはまさに天才であった。

卓越した論理的思考力は批評活動に振り向け、句や歌の創作においては目に映る物事をてらいなく写生するスタイルをとった。芸術活動にとって両刃《もろば》の剣である論理的思考力を完璧に使いこなした。論理力に優れているがゆえに、それを上手に抑える術《すべ》をわきまえていた。才気あふれる頭脳から**「柿くへば鐘が鳴るなり法隆寺」**という一見なんでもない句が生まれるところが、子規の技である。

子規は三十五年の生涯の最後の七年間をひたすら病床で過ごし、句をつくりつづけた。病床に七年間も仰臥したまま眺める風景は、動きながら見える風景とは異なる。同じ場所から眺めつづけるだけに、かすかな変化も見逃さない。しかも子規は、生来の病弱ではなく、野球を愛し、名キャッチャーでもあった。そうした活動的な身体が七年間横臥《おうが》し、鋭敏な感性を保ちつづけたこと自体、驚嘆にあたいする。何度も雪の深さを尋ねるという句には、動けない身と生き生きした感性との切ない共存がある。永眠十二時間前の絶筆三句は、へちまを題材としている。この三句には、最後まで意識を明断に保ちえた子規の「作品としての人生」が凝縮されている。

『百人一首《ひゃくにんいっしゅ》』

春が過ぎて夏が来たらしい。香具山に白い衣が干してある。

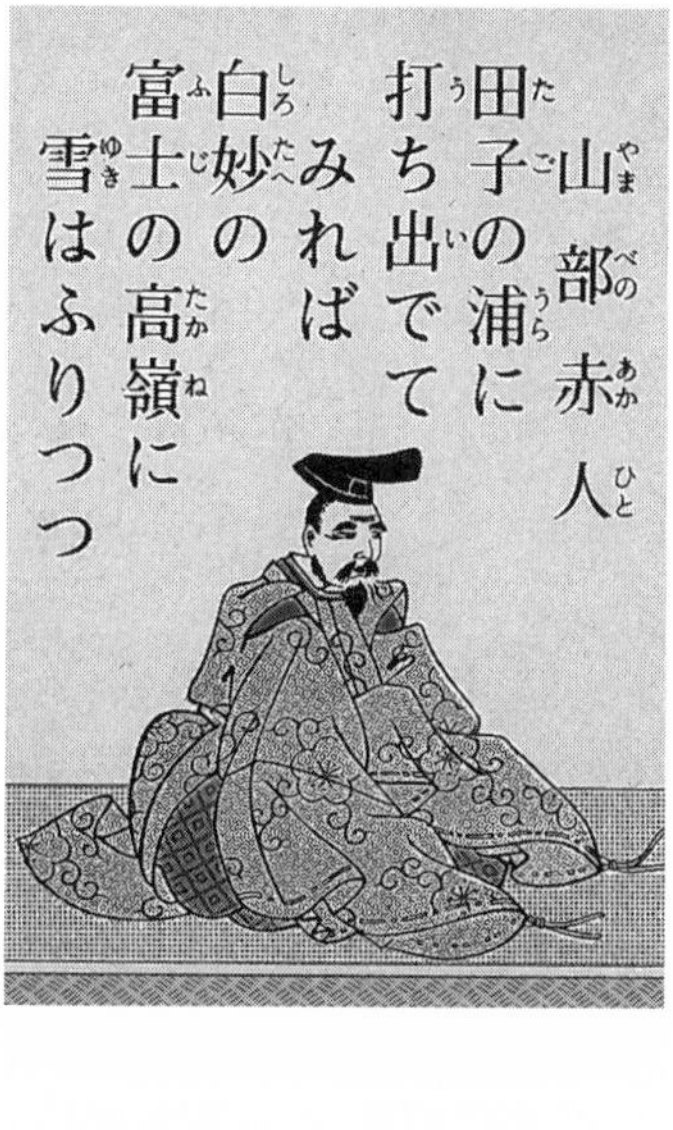

田子の浦に出てみると、真っ白な富士の高嶺に雪が降りつづいていた。

（田《た》村《むら》将《しょう》軍《ぐん》堂《どう》「小《お》倉《ぐら》百《ひゃく》人《にん》一《いっ》首《しゅ》」より）

昔の奈良の都の八重桜が京の宮中で美しく咲いている。

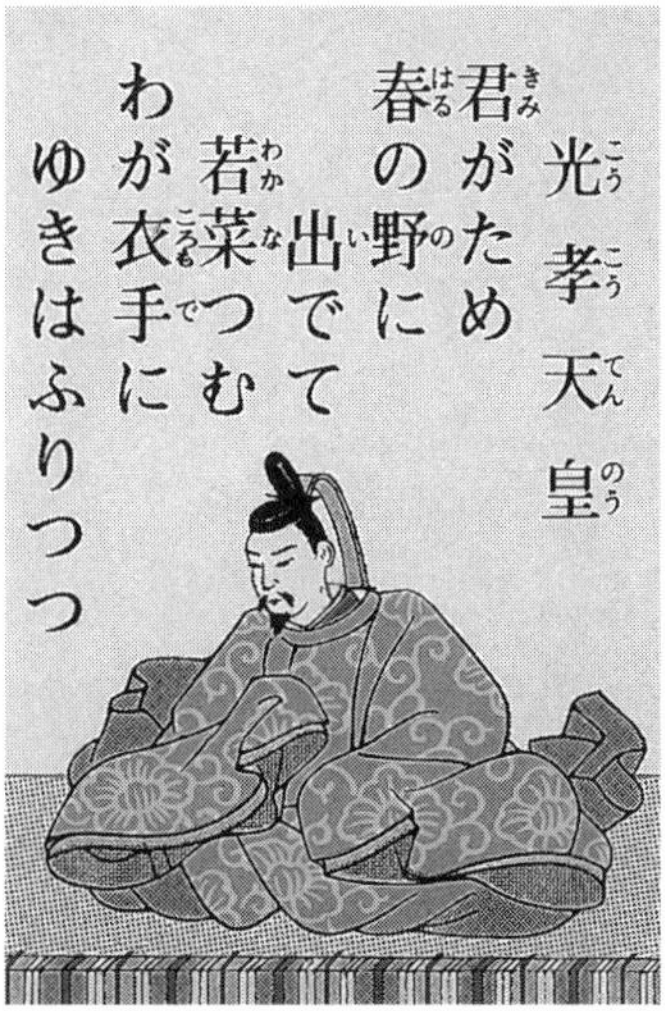

あなたにと春の野で若菜を摘んでいると袖に雪が降ってきた。

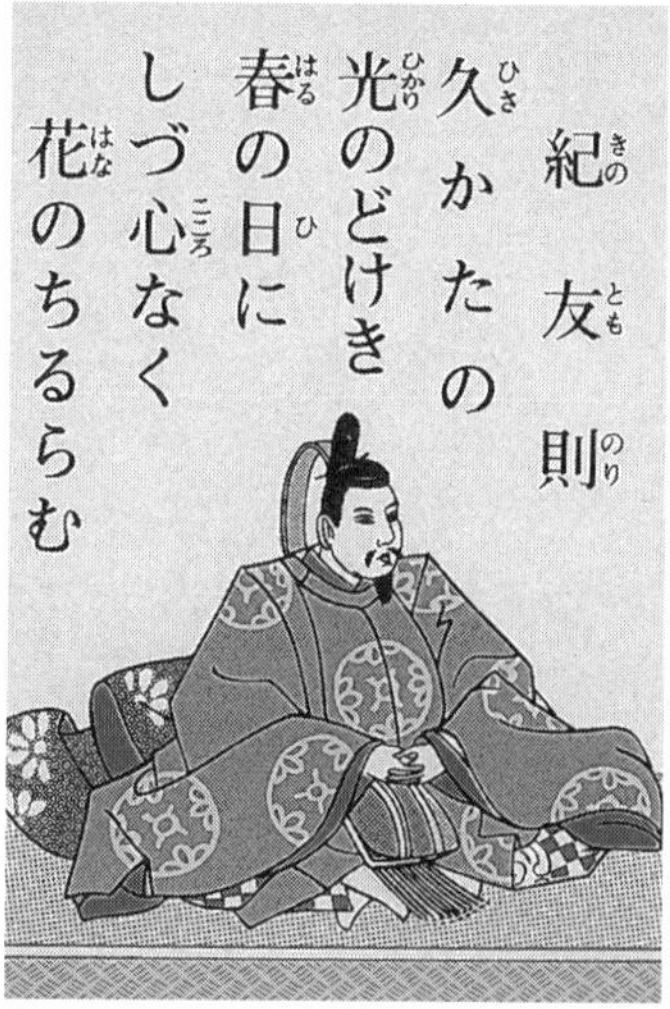

光のどかな春の日にあわただしい心で花は散るのだろう。

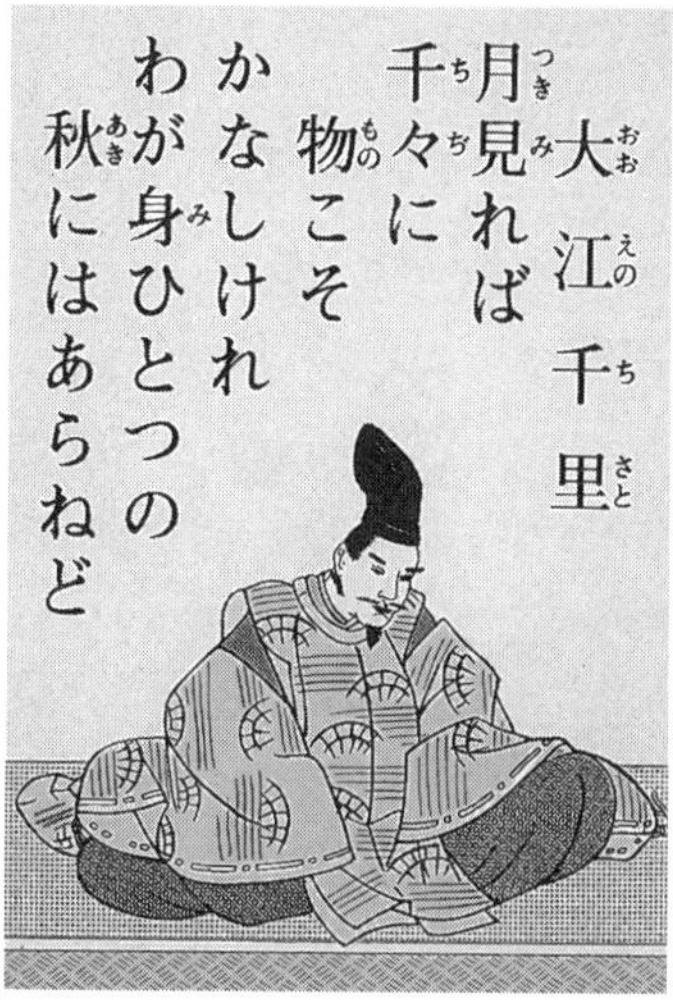

月を見るとあれこれ物悲しい。私一人の秋ではないが。

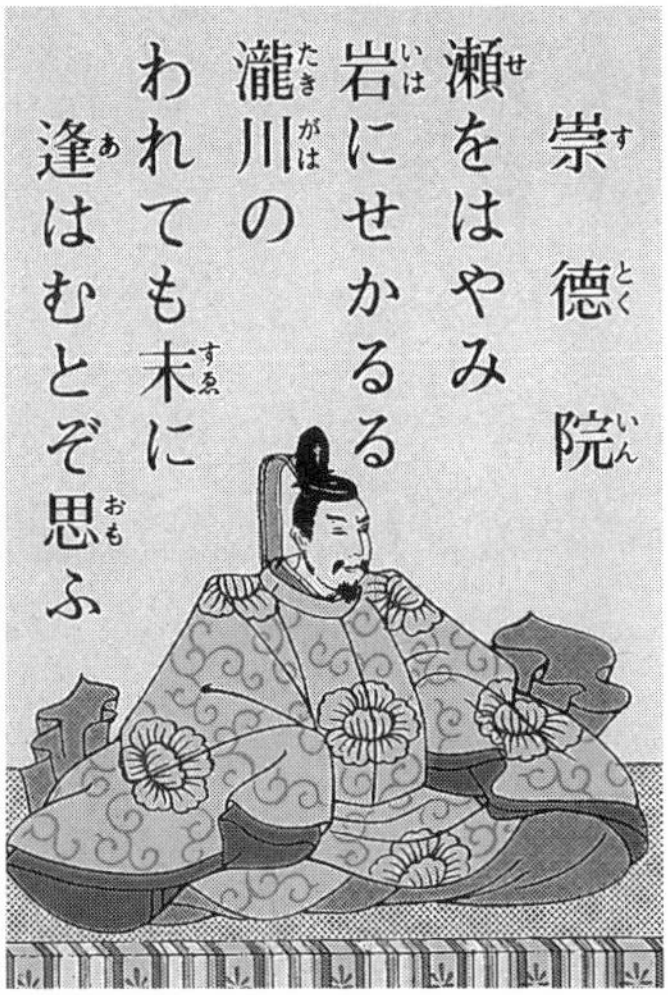

急流のため岩で別れた流れのように、いつかきっと逢おう。

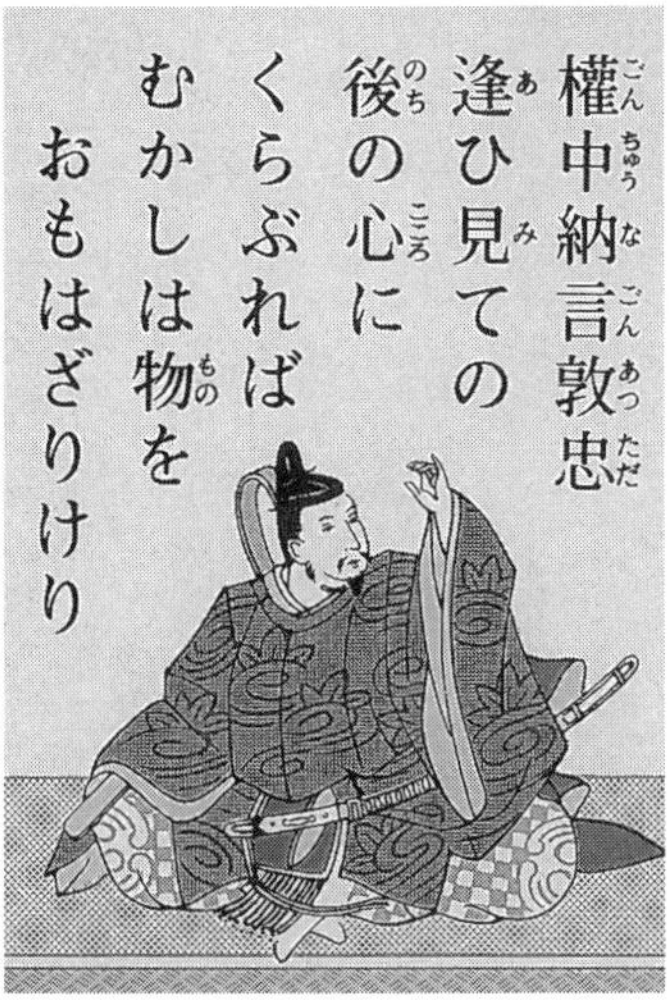

一夜をともに過ごした後に比べると、昔はものを思わなかった。

小倉百人一首は今も日本語の暗誦メニューとして横綱級だろう。百に絞られている点もさることながら、カルタになっていることが大きい。昭和三十年代までは家族で正月に百人一首カルタで遊ぶのはよくある光景だった。ちなみに今でも坊主めくりのスターは蟬丸《せみまる》（頭が隠れている坊主）のようだ。

藤原定家撰の『百人一首秀歌』をもとにしており、のちの人が作品を補ったとされる。すべて勅撰《ちょくせん》和歌集から選ばれている。『古今和歌集』からの二十四首がもっとも多く、『後拾遺《ごしゅうい》和歌集』『千載《せんざい》和歌集』『新古今和歌集』からの各十四首がつづく。恋の歌が半数近くを占めている。

カルタ取りでは、上《かみ》の句を聞いただけで下《しも》の句を取ることが許されているので、暗誦していることが有利にはたらく。競技性が高まると、初めの何文字かを聞くだけでどの歌かわかってしまう。「むすめふさほせ」の七文字から始まる歌は、それぞれ一首しかないので優先的に覚える。百人一首サークルの大学生に聞いたところ、たとえば「む」の「m」音を聞いただけで下の句「**霧たちのぼる秋の夕暮**」を取りにいくという。覚えるコツは、必要に迫られることと、何度も読み手になることだそうだ。七五調でゆったり読みあげていると、気分よく言葉がからだに入ってくる。そういえば私も、高校の古典の試験のために全首を覚えた。

六、芯《しん》が通《とお》る・腰《こし》肚《はら》を据《す》える

真人《しんじん》の息《いき》は踵《かがと》を以《もつ》てし、衆人《しゅうじん》の息《いき》は喉《のど》を以《もつ》てす

『荘子《そうし》』

荘子《そうし》

「真人《しんじん》とはどういうものか」という問いに対する荘子の答えの一部である。答えはこう始まる。昔の真人（道理を悟った人）は、逆境のときでも無理に逆らわず、隆盛のときにも勇み立たず、意図的に事を図ることもなかった。このような者は失敗があってもくよくよと後悔せず、うまくいっても自分で満足してしまうことがない。

こうした真人の境地を象徴するものとして、荘子は深々とした息の仕方をあげる。衆人の息の仕方は喉でするように浅い。これとは対照的に、真人の息は、踵《かかと》から吸って息を全身に行きわたらせたあとに、ふたたび踵からゆっくりと吐きだしていく、深く静かな呼吸である。踵で呼吸しているように感じられるためには、からだに力《りき》みがなく、全身がリラックスしている必要がある。

赤ちゃんのからだは無駄な力みがないので、息が深く、一息ごとに全身が息のリズムで波打っている。こうした自然の深い息を通常の人間は年を経るごとに失っていき、徐々に浅い息になり、浮き足立ってくる。踵を通して息をするイメージで呼吸をしてみることで、小さなことにくよくよしない、ゆったりとした真人の心もちに近づくことができる。

秘《ひ》すれば花《はな》なり、秘《ひ》せずば花《はな》なるべからず

『風姿花伝《ふうしかでん》』

世阿弥《ぜあみ》

「花」とは舞台の見せ場、さわりであり、観客が面白がるということだ。世阿弥は「**花と、面白きと、珍しきと、これ三つは、同じ心なり**」と言う。将軍から大衆までが同じ見せ物を楽しむという画期的な状況は、世阿弥の時代にはじめて出現した。客の好みは千差万別だ。相手と状況に応じて打つ手を変えろ、工夫の秘密を悟らせるな、わからないように趣向を変化させよ、というのが後継者への世阿弥からのアドバイスだ。したがって「秘すれば花」とは、一般的に解されているような、秘密にすれば効果的という奥ゆかしさや謙虚さの強調ではない。観客の反応に命がかかっている能楽者が世を生き抜く戦略的な思考の宣言である。

こうした芸当ができるための意識が、世阿弥の言う「**離見**《りけん》**の見**《けん》」だ。ただ演技するのではなく、演技している自分を離れたところから見つめるもう一人の自分を意識のなかに持つこと。この第二の自己の存在が状況に対応できる演技力を支えるのである。自己陶酔せずに、観客から見える自分を捉える。「**目を前に見て、心を後に置け**」とも言っている。

世阿弥の『風姿花伝』そのものが、当時は家の秘伝であり、特許がない時代の企業秘密であった。世阿弥の言葉は競争社会のなかで磨き抜かれたプロの認識として深い含蓄《がんちく》を持っている。

『五輪書《ごりんしょ》』

千日《せんにち》の稽古《けいこ》を鍛《たん》とし、万日《まんにち》の稽古《けいこ》を練《れん》とす。
能々《よくよく》吟味《ぎんみ》有《あ》るべきもの也《なり》。

宮本武蔵《みやもとむさし》

宮本武蔵の『五輪書』は、晩年の武蔵が剣の達人としての極意《ごくい》を記したものである。極意とはいっても、たんなる抽象的な奥義《おうぎ》を述べたものではない。構え方や視線の置きどころや相手の隙《すき》の突き方など、非常に具体的なアドバイスに満ちている。その一つひとつが、「**能々**《よくよく》**吟味有るべきもの也**」「**能々**《よくよく》**鍛錬すべし**」といった言葉で締めくくられている。武蔵は、具体的な思考・吟味と鍛錬を経験的に蓄積していく、実に合理的、実際的な人物であった。

鍛練という言葉はもともと金属を火や水を通して鍛え練り、刀剣に仕上げていくことを意味していた。武蔵はこれを具体的な練習日数の単位として鍛《たん》と練《れん》の二語に分けて意味づけなおしている。千や万という単位の設定は適当な比喩ではなく技の習得にとって具体的な目安である。スポーツでも芸事《げいごと》でも千日（約三年）の練習を経た動きは一生の技として身につく。百回の練習では起こらない質的な変化が千回の練習によっては起こるのである。万日という十年単位の稽古が積み重なると、千日の稽古で得たものより格段に質的に高い技と認識を得ることができる。量が蓄積すると質的な変化が起こる「量質転化」（南郷継正）を、武蔵はこの言葉で表現している。ふつう、鍛練という言葉は、もっと短期的で非合理的な他律的練習をイメージさせるが、武蔵の鍛練の概念は、それとは対照的な合理的・自律的練習である。この言葉は、質的な変化が起こる前に反復練習を途絶えさせてしまいがちな私たちの気を引き締め、希望を支えてくれるものだ。

『道程《どうてい》』

僕《ぼく》の前《まえ》に道《みち》はない
僕《ぼく》の後《うし》ろに道《みち》は出来《でき》る
ああ、自然《しぜん》よ
父《ちち》よ
僕《ぼく》を一人立《ひとりだ》ちにさせた広大《こうだい》な父《ちち》よ
僕《ぼく》から目《め》を離《はな》さないで守《まも》る事《こと》をせよ
常《つね》に父《ちち》の気魄《きはく》を僕《ぼく》に充《み》たせよ
この遠《とお》い道程《どうてい》のため
この遠《とお》い道程《どうてい》のため

高村光太郎《たかむらこうたろう》

高村光太郎は、「骨格の人」であった。日本を代表する彫刻家の高村光雲《こううん》を父にもつ光太郎は自らも彫刻家であった。彫刻という営為は、骨格への意識を鍛えずにはおかない。光太郎にとっては、彫刻は余分なものをそぎ落とし、骨格のもつ力を最大限に引き出す作業である。

光太郎は冬を愛した。「**きつぱりと冬が来た／八つ手の白い花も消え／公孫樹《いちょう》の木も箒《ほうき》になつた**／（中略）**冬よ**／**僕に来い、僕に来い**／**僕は冬の力、冬は僕の餌食だ**／**しみ透れ、つきぬけ**／**火事を出せ、雪で埋めろ**／**刃物のやうな冬が来た**」。十代にこの詩を読んで私も冬が一番好きになった。「**木を削るのは冬の夜の北風の為事《しごと》である**」。冬は余分なものをそぎ落とし、骨格をあらわにしてしまう。光太郎は小刀《こがたな》を研ぎ、自己を研ぎ澄ます。「**研水《とみず》を新しくして**／**更に鋭い明日の小刀を瀏《りゅう》瀏《りゅう》と研ぐ**」。「研ぐ」「鍛える」「掘る」「削る」「練る」などは、光太郎においては日常の技となっていた。詩を書くことは、自己を研ぎ鍛えることであった。この詩も、初めに発表されたときは百二行の長大な詩編であったが、それが削られ研がれて、この形となった。

光太郎が晩年を一人で過ごした岩手県花巻《はなまき》の山林の小屋を訪ねたことがある（高村記念館が保存している）。それは驚くほど小さな質素な小屋であった。囲炉裏のほかは厳しい冬を堪えるすべもない。しかし光太郎は「**ここではもう積雪三尺零下十六度に一度なりました。雪中生活の新鮮さ、たとへやうもありません**」と人に書き送る。自分を孤独のうちに鍛えてくれる広大な父なる自然を光太郎は生涯愛した。

幸田露伴《こうだろはん》

『五重塔《ごじゅうのとう》』

木理《もくめ》美《うるわ》しき槻胴《けやきどう》、縁《ふち》にはわざと赤樫《あかがし》を用《もち》ひたる岩畳作《がんじようづく》りの長火鉢《ながひばち》に対《むか》ひて話《はな》し敵《がたき》もなく唯一人《ただひとり》、少《すこ》しは淋《さび》しさうに坐《すわ》り居《い》る三十前後《さんじゅうぜんご》の女《おんな》、男《おとこ》のやうに立派《りっぱ》な眉《まゆ》を何日《いつ》掃《はら》ひしか剃《そ》つたる痕《あと》の青々《あおあお》と、見《み》る眼《め》も覚《さ》むべき雨後《うご》の山《やま》の色《いろ》をとどめて翠《みどり》の匂《におい》ひ一《ひ》トしほ床《ゆか》しく、鼻筋《はなすじ》つんと通《とお》り眼尻《めじり》キリリと上《あが》り、洗《あら》ひ髪《がみ》をぐるぐると酷《むご》く丸《まろ》めて引裂紙《ひっさきがみ》をあしらひに一本簪《いっぽんざし》でぐいと留《とど》めを刺《さ》した色気無《いろけなし》の様《さま》はつくれど、憎《にく》いほど烏黒《まつくろ》にて艶《つや》ある髪《かみ》の毛《け》の一《ひ》ト綜《ふさ》二綜後《ふたふさおく》れ乱《みだ》れて、浅黒《あさぐろ》いながら渋気《しぶけ》の抜《ぬ》けたる顔《かお》にかかれる趣《おもむ》きは、年増嫌《としまぎら》ひでも褒《ほ》めずには置《お》かれまじき風体《ふうてい》、……

幸田露伴・文《あや》父娘は、腰肚《こしはら》文化の家元的存在である。露伴は文に拭き掃除や薪割りをはじめとして家事全般をたたき込んだ。露伴の鍛え方は、獅子《しし》が子をあえて谷底に突き落とす伝説のように厳しい。自分でやって見せて技を盗ませ、すぐにやってみさせる。技を盗む意識で注意深く見ていなければ娘は怒鳴られる。からだの動きの最大のコツは腰であった。体から体に腰肚を中心とする技が伝授される過程は、文の『こんなこと』に詳しい。私はそのなかでも「なた」という文章が好きで、小学校でときおり授業をしている。こわごわコツンと薪を割る文に露伴は「**働くときに力の出し惜《お》しみをするのはしみったれで、醜《しゅう》で、満身の力を籠《こ》めてする活動には美がある**」と叱咤《しった》し、「**からだごとかかれ。横隔膜《おうかくまく》をさげてやれ、手のさきは柔らかく楽にしとけ、腰はくだけるな**」とコツを伝授する。私は「**父の教えたものは、これ渾身《こんしん》ということであった**」という文章に惚《ほ》れて、「渾身」と大書したTシャツをわざわざつくって授業で使った（これはウケた）。『五重塔』の文章には、腰と肚がきまってすっきり立ち坐り、まっすぐに仕事や他者に向かう主人公の職人の構えが、文章を読むうちにこちらに乗り移ってくる、そんな力がある。

口語要約

木目の美しいケヤキの胴、縁には赤樫を使い頑丈なつくりの長火鉢に向かい、話し相手もなく坐る三十歳前後の女一人、男のように立派な眉の剃り跡も青々と、黒く艶やかな色をとどめてゆかしく、鼻筋通り、目尻上がり、洗い髪をきつく丸め、一本簪《ざし》でぐいと止めた色気のないつくりだが、憎らしいほど真っ黒で艶のある数本の髪の束が、浅黒いながら渋気の抜けた顔にかかる趣きは、年増嫌いでも褒めずにはいられない風情……

『行司《ぎょうじ》のかけ声《ごえ》』

「構《かま》えて、まだまだ」　「見合《みあ》わせて」　「油断《ゆだん》なく」

「待《ま》ったなし」「はっきよい」「残《のこ》った残《のこ》った」

『結《むす》びの一番《いちばん》』

「番数《ばんかず》も取《と》り進《すす》みましたるところ、かたや輪島《わじま》、輪島《わじま》、こなた北《きた》の湖《うみ》、北《きた》の湖《うみ》。この相撲《すもう》一番《いちばん》にて本日《ほんじつ》の打《う》ち止《ど》め（又《また》は千秋楽《せんしゅうらく》）にございます」

相撲は、〈腰肚文化《こしはらぶんか》〉の華《はな》である。腰肚文化の本質は、太鼓腹《たいこばら》にではなく、足腰のしなやかな強さと動じない心の強さにある。蹲踞《そんきょ》の姿勢やシコ踏みやすり足などは、日常生活から消えつつある動きなので、相撲は身体文化の博物館になってきている。

身体文化の凝縮としての相撲を体現していたのは、なんといっても双葉山だ。実に柔軟で強靱な下半身を持っていた。その双葉山が不滅の六十九連勝が途切れたときに言った言葉が「**われ未だ木鶏《もっけい》たりえず**」である。名言だ。木鶏とは木製の鶏のことだが、強さを外に表さない最強の闘《とう》鶏《けい》のたとえでもある。地に足がついて腰と腹がきまって何事にも動じない強さが木鶏の強さだ。

相撲言葉には、独自の「からだ言葉」が数多くある。「**胸を貸す（借りる）**」「**死《し》に体《たい》**」「**がぶりより**」「**かいなひねり**」「**肩すかし**」「**半身《はんみ》**」「**腰を割る**」「**差《さ》し手《で》争い**」「**四つに組む**」「**懐が深い**」「**体《たい》を残す**」「**体《たい》を預ける**」「**仕切る**」など、そのままコミュニケーションの場面に使ってもおもしろいものがたくさんある。相撲は腰を軸とした他者との生身の関わり合いをさまざまな形で凝縮して見せてくれる芸能である。そこに塩まきや礼、仕切り、といった儀式性が加わっているのだから、コミュニケーションのテキストとしては最高である。

「はっきよい」は発気揚々《はっきようよう》のことで、気を発して戦え、もっと気を発せよの意味とされる。一説に発気用意の意味。また他の一説に、早く競えが「はっけよい」になった由。「はっけよい、残った」の「はっけ」も発気のことだが、この場合は「はっけ」と言う。

『正法眼蔵《しょうぼうげんぞう》』　道元《どうげん》

身心脱落《しんじんだつらく》（1）

只管打坐《しかんたざ》（2）

仏道《ぶつどう》をならふ《う》といふ《う》は、自己《じこ》をならふ《う》也《なり》。自己《じこ》をならふ《う》といふ《う》は、自己《じこ》をわするゝ《る》なり。自己《じこ》をわするゝ《る》といふ《う》は、万法《ばんぽう》に証《しょう》せらるゝ《る》なり。万法《ばんぽう》に証《しょう》せらるゝ《る》といふ《う》は、自己《じこ》の身心《しんじん》および他己《たこ》の身心《しんじん》をして脱落《だつらく》せしむるなり。（3）

『正法眼蔵随聞記《しょうぼうげんぞうずいもんき》』　懐奘《えじょう》編《へん》

この心《こころ》あながちに切《せつ》なるもの、とげずと云《い》ふ《う》ことなきなり。（4）

道元が説くのは、「悟りの身体技法」である。あれこれ理屈をこねまわすよりも、ただひたすら坐ることが悟りへの道だと説く。ひたすら坐ることによって、身心が脱落《だつらく》（「とつらく」という読み方もある）していく。不要なものを徹底的に落としていく技が、坐禅である。道元の志は、徹底している。百尺もの長さの竿の先頭まで行き着いたとしても、そこから先にさらに一歩進めよと言う。そこで慢心したり不安を抱くのではなく、一歩踏み出すことで世界全体が自分の身体と重なる。捨てることによってこそ、体得するものがある。

正法眼蔵随聞記の「この心あながちに……」は、勇気づけられる言葉だ。私は、受験勉強で追い込みにかかったとき、この言葉を心の支えにしていた。道元の言葉を自分の身の内に持っていると、エネルギーが伝わってくる。

口語要約

(1)身も心もすべて落とし去り、こだわりを捨てる。(2)ひたすら坐り、坐禅の修行に打ち込む。(3)仏の道を修めるということは、自己を知るということである。自己を知るということは、自己を忘れることである。自己を忘れるということは、万法のあり方どおりになるということである。万法のあり方どおりになるということは、自己の身心と他己の身心もすべて落とし去るということである。(4)この心が強く切実なものは、かならず目的を遂げる。

『高砂《たかさご》』

高砂《たかさご》や、この浦舟《うらぶね》に帆《ほ》をあげて、この浦舟《うらぶね》に帆《ほ》をあげて、月《つき》もろともに出潮《いでしお》の、波《なみ》の淡路《あわじ》の島影《しまかげ》や、遠《とお》く鳴尾《なるお》の沖過《おきす》ぎて、はや住江《すみのえ》に着《つ》きにけり、はや住江《すみのえ》に着《つ》きにけり。

『鶴亀《つるかめ》』

庭《にわ》の砂《いさご》は金銀《きんぎん》の、庭《にわ》の砂《いさご》は金銀《きんぎん》の、珠《たま》を連《つら》ねて敷妙《しきたえ》の、五百重《いおえ》の錦《にしき》や瑠璃《るり》の枢《とぼそ》、硨磲《しゃこ》の行桁《ゆきげた》瑪瑙《めのう》の階《はし》、池《いけ》の汀《みぎわ》の鶴亀《つるかめ》は、蓬萊山《ほうらいさん》も外《よそ》ならず、君《きみ》の恵《めぐ》みぞありがたき、君《きみ》の恵《めぐ》みぞありがたき。

どちらもとことんめでたい状況を歌っている。覚えていると、めでたい席で使えて便利だ。『高砂』は結婚式の定番であり、『鶴亀』は謡《うたい》の稽古《けいこ》のはじめに出てくるものだが、ほとんど竜《りゅう》宮城《ぐうじょう》だ。謡には独特の調子がある。調子の付け方は能楽《のうがく》の家の秘伝であった。親から子へ、師から弟子へ、一対一の稽古を通じて体で調子を覚えていくのである。私が謡の指導を受けたときの基本ポイントは、息をしっかりとお腹《なか》まで吸い込んで丹田《たんでん》に息をあてる心もちで一音一音はっきりと発声をするということであった。先生が謡《うた》うのをなぞるように繰り返していく。まるで口移しである。同じ謡曲をやる弟子がその場に二人いたとしても、必ず別々に一対一で指導する。

能の発声の部分を体系化したものが謡曲《ようきょく》だとすれば、身体の動きを上達のプロセスとして体系化したものが仕舞《しまい》である。どちらも腰と肚《はら》の充実感が重要であり、〈腰肚《こしはら》文化〉の精髄である。能では、「息の詰め開き」の技術がもっとも重要だとされる。息を吸ったり保ったり吐いたりする技を鍛えあげることによって、舞台における役者の存在感が生まれ、空間に緊迫感が出る。能は〈腰肚文化〉と〈息の文化〉という日本の身体文化の二つの柱を高度に様式化している。

口語要約

【高砂】舟に帆をあげ月の出とともに高砂の浦から舟を出し、満ち潮に乗って波立つ淡路島の島影も遠のき、遠く鳴尾の沖も過ぎ、早くも住之江に着いた。

【鶴亀】庭の砂は金銀で玉を散らして敷きつめ、幾重もの錦の褥《しとね》や瑠璃《るり》の扉、インド洋のシャコ貝でつくった橋桁や瑪瑙《めのう》でできた橋、池の水際には鶴亀が遊び、神仙の住む蓬莱山もかくやの素晴らしさ。大君の恵みはありがたい。

七、身《しん》体《たい》に覚《おぼ》え込《こ》ませる・座《ざ》右《ゆう》の銘《めい》

『論語《ろんご》』

孔子《こうし》

子《し》曰《い》わく、

学《まな》びて時《とき》に之《こ》れを習《なら》う、亦《ま》た説《よろこ》ばしからず乎《や》。朋《とも》有《あ》り遠方《えんぽう》より来《き》たる、亦《ま》た楽《たの》しからず乎《や》。人《ひと》知《し》らずして慍《いか》らず、亦《ま》た君子《くんし》ならず乎《や》。

（孔子は言う。繰り返し学び、友と学問について話し、人から評価されずとも怒らないのが学ぶ者の姿だ）

吾《わ》れ十有五《じゅうゆうご》にして学《がく》に志《こころ》ざす。三十《さんじゅう》にして立《た》つ。四十《しじゅう》にして惑《まど》わず。五十《ごじゅう》にして天命《てんめい》を知《し》る。六十《ろくじゅう》にして耳《みみ》順《したが》う。七十《しちじゅう》にして心《こころ》の欲《ほっ》する所《ところ》に従《したが》って、矩《のり》を踰《こ》えず。

（十五歳で道を決め、三十歳で基礎を確立し、四十歳で自信を得、五十歳で天職と納得し、六十歳で他人の意見がわかり、七十歳で節度を失わなくなる）

義《ぎ》を見《み》て為《な》さざるは、勇無《ゆうな》き也《なり》。

（なすべきことをしないのは卑怯だ）

之《こ》れを知《し》る者《もの》は之《こ》れを好《この》む者《もの》に如《し》かず。之《こ》れを好《この》む者《もの》は之《こ》れを楽《たの》しむ者《もの》に如《し》かず。

（物事への関わりは知、好、楽を経て深まり、自由になる）

老者《ろうしや》は之《こ》れに安《や》すんじ、朋友《ほうゆう》は之《こ》れを信《しん》じ、少者《しようしや》は之《こ》れを懐《なつ》く。

（老人が安心し、友から信頼され、若者に慕われることが望みだ）

知者《ちしや》は水《みず》を楽《たの》しみ、仁者《じんしや》は山《やま》を楽《たの》しむ。

（智の人は流動的で、仁の人はゆったりしている）

孔子は人生の名指圧師である。もたもたした論理をいじりまわさずに、相手のツボを直接深く押さえる。相手の状況に応じてツボを直接深く押さえる。弟子たちの質問にだらだら答えない。つねに端的である。下村湖人《しもむらこじん》は名著『論語物語』で、「一人一人の病気をよく知りぬいていて、まるで魔術のように急所を押さえてしまう。しかもその急所の押さえ方は、けっしてその場の思いつきではない。孔子の心のどこかに、一つの精妙な機械が据えつけてあって、そこから時と場合に応じて、自由自在にいろんな手が飛び出してくるように思える」と書く。

私は自分の教育研究を指圧の研究から始めた。上手な指圧師は、相手の受け入れの構え〈積極的受動性〉を引きだす。そして「響き」がその後からだに残るようなツボの押さえ方をする。指圧を受けたものは、響きの残響を手がかりに自分で自分のからだを調整できるようになっていく。教育と上手な指圧とは実によく似ている。孔子の一言を弟子たちは自分を一生鍛えてくれる宝として肝《きも》に銘《めい》じたろう。具体的な状況のなかで発せられた簡潔な言葉が何千年も普遍性を持ちつづけるのは不思議なことだ。

『ひゞ《び》のを《お》しへ《え》』

福澤諭吉《ふくざわゆきち》

ひゞ《び》のを《お》しへ《え》　二《に》へん

とうざい、とうざい。ひゞ《び》のを《お》しへ《え》二《に》へんのはじまり。おさだめのおきては六《ろっ》かでう《（じよう）》、みゝ《み》をさらへ《え》てこれをきゝ《き》、はらにおさめてわするべからず。

だい一《いち》

てんとうさまをおそれ、これをうやまい、そのこゝ《こ》ろにしたがふ《う》べし。たゞ《だ》しこゝ《こ》にいふ《う》てんとうさまとは、にちりんのことにはあらず、西洋《せいよう》のことばにてごつど《ゴッド》ゝ《と》いひ《い》、にほんのことばにほんやくすれば、ざ《ぞ》うぶつしやといふ《う》ものなり。

だい二《に》

ちゝ《ち》はゝ《は》をうやまい、これをしたしみ、そのこゝ《こ》ろにしたがふ《う》べし。

だい三《さん》

ひとをころすべからず。けものをむごくとりあつかひ《い》、むしけらをむゑ《え》きにころすべからず。

だい四《よん》

ぬすみすべからず。ひとのおとしたるものをひらふ《う》べからず。

だい五《ご》

いつは《わ》るべからず。うそをついてひとのじやまをすべからず。

だい六《ろく》

むさぼるべからず。むやみによくばりてひとのものをほしがるべからず。

日々の教え　二篇

東西、東西。日々の教えの二篇の始まり。お定めの掟は六か条、耳を浚えてこれを聞き、腹に収めて忘るべからず。〈第一〉天道様を畏れ、これを敬い、その心に従うべし。ただし、ここに言う天道様とは、日輪のことにはあらず。西洋の言葉にてゴッドと言い、日本の言葉に翻訳すれば造物者というものなり。〈第二〉父母を敬い、これを親しみ、その心に従うべし。〈第三〉人を殺すべからず。獣を酷く取り扱い、虫けらを無益に殺すべからず。〈第四〉盗みすべからず。人の落としたるものを拾うべからず。〈第五〉偽るべからず。嘘をついて人の邪魔をすべからず。〈第六〉貪るべからず。無闇に欲ばりて人のものを欲しがるべからず。

福澤諭吉は、合理主義的天才説教師である。福澤諭吉に説教をされて逃げ切れる者はいないだろう。水も漏らさぬ緻密な論理力や膨大な知識に加え、いきなり相手の城の本丸を攻める戦略が見事だ。「人を殺すべからず」という端的な言い方も福澤らしいスタイルだ。

『福翁自伝《ふくおうじでん》』は滅多にないほど面白い本だ。神社の本尊《ほんぞん》を石に入れ替えてしまう話では、「子供ながらも精神は誠にカラリとしたものでした」と言っている。緒方洪庵《こうあん》の適塾《てきじゅく》での豪快な暮らしぶりや、横浜へ行ったら英語ばかりで長年学んだ蘭学《らんがく》が役に立たず一から出直した話など、実に生き生きと青年期の諭吉が描かれている。全編に独立の気風が行きわたっている。

『ひゞのをしえ』は、明治四年、長男の一太郎八歳、次男の捨次郎六歳の兄弟のために、諭吉が毎日一か条ずつ書いて与えて説教したものだ。説教といっても、紙芝居のように楽しく語っている。それにしても、お天道様を敬うという道徳意識はすっかり消えてしまった。

福澤は西洋の実学を重視した合理主義者だが、当人は武士であり腰肚《こしはら》文化を完全に身につけている。冒頭の「腹に収めて忘るべからず」にも肚《はら》を心の大事な場所とする意識が表れている。説教はかつては、必ず双方正坐してフォーマルな形を整えて行われた。正坐が親子の仲にも厳粛な雰囲気が生まれることを助けていたのである。現在の親子に改まった雰囲気でのきちんとした会話がむずかしいのは、畳に正坐する説教空間を失ったことにも一因がある。

それにしても幼い頃から漢籍《かんせき》を素読暗誦していた諭吉が、西洋実学の大家になったことは、興味深い事実だ。

『偶成《ぐうせい》』

少年《しょうねん》老《お》い易《やす》く学《がく》成《な》り難《がた》し
一寸《いっすん》の光陰《こういん》軽《かろ》んずべからず
未《いま》だ覚《さ》めず池塘《ちとう》春草《しゅんそう》の夢《ゆめ》
階前《かいぜん》の梧葉《ごよう》已《すで》に秋声《しゅうせい》

少年易レ老学難レ成
一寸光陰不レ可レ軽
未レ覚池塘春草夢
階前梧葉已秋声

朱熹《しゅき》

朱熹（朱子《しゅし》は朱熹の敬称）は、江戸時代の儒学に影響を与えた朱子学の祖だ。宇宙を法則としての理と存在としての気の二元論で捉え、北宋《ほくそう》以来の理気《りき》世界観を大成した南宋《なんそう》の大儒学者である。この詩は朱熹の作でないとの説もあるが、ここにみられる勉学鼓舞は朱子学の精神にふさわしい。

ときおり思うのだが、小学校の六年間というのは、なぜあれほど長かったのだろうか。子どもの頃の時間は「濃い」。「少年老いやすく学成りがたし」という言葉は年を経るにしたがってリアリティを増してくる。サッカーなどのスポーツのコーチングでは、ゴールデンエイジという言葉が最近よく使われる。十歳から十三、四歳までの年齢の子どもたちのことだ。この時期に基本的な技術を技として身につけるかどうかがその後の成長を大きく左右すると言われている。この年齢に身につけた技は、生涯失われることなく、自分自身をつくる素地となる。

私のイメージでは「学」は技である。特定の知識内容というより、自分が動くフィールドのなかで、何を得意技としてどのようなスタイルで戦うのかが重要な問題だ。若いときの過剰なエネルギーを技に替えること。これが、自分の生のスタイルを成熟させていく鍵となる。

口語要約

少年はあっという間に年をとり、学ぶべきことを学ばずに終わる。時間を無駄にしてはいけない。池の端《はた》で草が春の夢をまどろんでいるうちに、庭先の桐《きり》の葉は黄色く染まり、すでに秋だ。

『徒然草《つれづれぐさ》』

吉田兼好《よしだけんこう》

つれ〴〵《づれ》なるまゝ《ま》に、日《ひ》くらし、硯《すずり》にむかひ《い》て、心《こころ》に移《うつ》りゆくよしなし事《ごと》を、そこはかとなく書《か》きつくれば、あやしうこそものぐるほ《お》しけれ。(1)

少《すこ》しのことにも、先達《せんだつ》はあらまほしき事《こと》なり。(2)

初心《しょしん》の人《ひと》、二《ふた》つの矢《や》を持《も》つ事《こと》なかれ。(3)

あやまちは、安《やす》き所《ところ》に成《な》りて、必《かなら》ず仕《つかまつ》る事《こと》に候《そうろう》。(4)

改《あらた》めて益《やく》なき事《こと》は、改《あらた》めぬをよしとするなり。(5)

兼好法師は、「上達論おやじ」である。兼好は、その道の達人が好きで、達人から上達のコツを盗み出すのがうまい。『徒然草』は、弓の名人(3)や木登りの熟達者(4)たちの名言にあふれている。名人、達人の世界には共通性があることに兼好は気づいていた。何を見ても上達のコツや工夫が見えてきてしまう。上達論の達人兼好の眼力は、静かな悟りの境地とはおそらく違う心境を生み出していた。物事の本質が見えすぎ、アイディアがつぎつぎに湧き出てくれば、脳の中のニューロンが発火しつづけ、シナプスを電流が走りまわる。なんとなく書き連ねていても、この電流が止まらず、「あやしうこそものぐるほしけれ」となる。

現代では、オリジナリティや創造性を、無から生み出すものと考える傾向があるが、実際にはそうしたものの大もとは優れた先達の技を盗むことにある。先達がいないと、仁和寺《にんなじ》の法師のように石清水《いわしみず》八幡宮の本堂に行く前に入り口の門まで行って帰ってきてしまうことにもなる(2)。個性や創造性は、先達の技を盗むことでいっそう磨かれる。

口語要約　(1) なすこともなく一日じゅう硯に向かい、心に浮かんでくることを書きつけていると、わけのわからぬほどもの狂おしくなってくる。(2) ちょっとしたことにもその道の先導者はあってほしいものだ。(3) 弓の初心者は二本の矢を持ってはいけない。(4) 過ちは困難なところではなく、もう安心だとやさしくなったところで起きる。(5) 変えても利益がないなら変えないことだ。

『歎異抄《たんにしょう》』

善人《ぜんにん》なほ《お》もつて往生《おうじょう》を遂《と》ぐ、いはん《わ》や、悪人《あくにん》をや

親鸞《しんらん》語録《ごろく》（唯円《ゆいえん》編《へん》）

親鸞《しんらん》のスタイルは、「パラドックス（逆説）スタイル」だ。パラドックスとは、日常的、常識的真理に反しているように見えながら実は真理をついている表現だが、これはその代表的なものだ。悪人のほうが往生できるのなら善行を積むなんてことは意味ないじゃないかと思わせて他力本願に導いていく。

たとえ法然上人《ほうねんしょうにん》にだまされて念仏して地獄に堕ちたとしても、もともとどんな行《ぎょう》でもダメな自分の身なのだから地獄が住み処《か》となるのも仕方ない。これも親鸞のような人物が言えばパラドックスになる。親鸞は奇をてらうのにはほど遠い人物だが、逆説の魅力に満ちている。梅原猛は『歎異抄』（講談社学術文庫）で「宗教がそもそもパラドックス中のパラドックス」と言う。

自力《じりき》と他力《たりき》の関係は、スポーツなど体を動かす場面ではよく問題になる。自力でがんばろうとすれば「力《りき》み」が生まれてかえってうまくいかず、一度息を大きく吐いてからだをリラックスさせ、「任せる」気持ちになったときにうまくいくことがある。力を出すためには無駄な力を抜く必要がある。他力本願は、ここ一番のパフォーマンスには必要な技だ。無駄な力みを起こさせない一つの場所に意識を当てつづける練習をすることで脱力しやすくなる。身体で言えばそれがたとえば「臍下丹田《せいかたんでん》」であり、親鸞で言えば「念仏」である。意識が無駄な力みを生まないように一つの意識回路を繰り返し反復しつづける。これによって自然体という心身の状態が技として身についてくるのである。親鸞の自然体スタイルは、自然体が技だということを教えてくれる。

『四規七則《しきしちそく》』

四規《しき》　和《わ》　敬《けい》　清《せい》　寂《じゃく》

七則《しちそく》　茶《ちゃ》は服《ふく》のよきように点《た》て、
炭《すみ》は湯《ゆ》のわくように置《お》き、
冬《ふゆ》は暖《あたたか》に夏《なつ》は涼《すず》しく、
花《はな》は野《の》の花《はな》のように生《い》け、
刻限《こくげん》は早《はや》めに、
降《ふ》らずとも雨《あめ》の用意《ようい》、
相客《あいきゃく》に心《こころ》せよ

千《せん》　利休《りきゅう》

型や作法は、一般的には自由を束縛するものと思われている。しかし、実際に武道・芸道・スポーツなどをやっていると、型を身につけていることによって自由度が増す実感を覚えることがよくある。型や作法が心身をかえって自由にするというこの逆説を、茶の湯は端的に体現している。こうした逆説が成り立つのは、型や作法が徹底的に無駄なもの不要なものを取り去ったシンプルなものだからだ。必要なものだけを残したシンプルさは、飽きがこないし応用がきく。茶の湯にも、自然と交わり、人と交わる場を一つの小宇宙にシンプルにまとめあげた美しさがある。

鈴木大拙《だいせつ》は、茶道と禅は、不要なものを除去し物事を単純化することにおいて通じていると言っている。万事派手好みの秀吉が利休に惹《ひ》かれたのも面白い。秀吉の「**底ひなき心の内を汲みてこそお茶の湯なりとはしられたりけり**」という歌に、利休は「**茶の湯とは只《ただ》湯をわかし茶をたてて呑むばかりなるものと知るべし**」と教える。この淡々とした精神は、禅的であり仏教的である。『四規七則』も客をもてなす当たり前の基本を説いている。利休の師、武野紹鷗《たけのじょうおう》は、奢《おご》りを嫌い、「**いずれの芸も下手の名をとるべし**（下手と思う心からつぎが生まれる）」と言い、茶の湯を開山した村田珠光《しゅこう》も「**月も雲間のなきは、いやに候《そうろう》**（不完全な美のほうが侘びの精神にかなう）」と言う。

すべてをこまかいところまで注意深く意識的に行うというのは意外にむずかしい。茶の湯ではふだん無意識に行ってしまうことを丁寧に意識的に行う。これは一種の瞑想法である。茶は酒と違って酔わせず、むしろ意識を覚めさせる。覚めた意識で自分や人の動きを見つめつづけることには、心を洗い清める瞑想効果がある。

『いろはかるた』

	江戸《えど》	京都《きょうと》
い	犬《いぬ》も歩《ある》けば棒《ぼう》にあたる	一寸先《いっすんさき》は闇《やみ》
ろ	論《ろん》より証拠《しょうこ》	論語《ろんご》読《よ》みの論語《ろんご》知《し》らず
は	花《はな》より団子《だんご》	針《はり》の穴《あな》から天井《てんじょう》をのぞく(1)
に	憎《にく》まれっ子世《こよ》にはばかる	二階《にかい》から目薬《めぐすり》
ほ	骨折損《ほねおりぞん》のくたびれ儲《もう》け	仏《ほとけ》の顔《かお》も三度《さんど》
へ	屁《へ》をひって尻《しり》つぼめ(2)	下手《へた》の長談義《ながだんぎ》
と	年寄《としより》の冷水《ひやみず》	豆腐《とうふ》に鎹《かすがい》

ち　塵《ちり》もつもれば山《やま》となる　地獄《じごく》の沙汰《さた》も金次第《かねしだい》

り　律儀者《りちぎもの》の子沢山《こだくさん》　綸言汗《りんげんあせ》のごとし（3）

ぬ　盗人《ぬすっと》の昼寝《ひるね》（4）　糠《ぬか》に釘《くぎ》

る　瑠璃《るり》も玻璃《はり》も照《てら》せば光《ひか》る　類《るい》をもって集《あつ》まる

を　老《お》いては子《こ》にしたがえ　負《お》うた子《こ》に教《おし》えられて浅瀬《あさせ》を渡《わた》る（5）

わ　割鍋《われなべ》にとじ蓋《ぶた》　笑《わら》う門《かど》には福《ふく》きたる

か　かったいの瘡怨《かさうら》み（6）　蛙《かえる》のつらに水《みず》（7）

よ　葭《よし》のずいから天井《てんじょう》のぞく（8）　夜目遠目傘《よめとおめかさ》のうち（9）

た　旅《たび》は道連《みちづ》れ夜《よ》（世《よ》）は情《なさ》け　立板《たていた》に水《みず》

れ　良薬《りょうやく》は口《くち》に苦《にが》し　連木《れんぎ》で腹《はら》を切《き》る（10）

そ　惣領《そうりょう》の甚六《じんろく》（あるいは順禄《じゅんろく》）(11)　袖《そで》ふりあうも他生《たしょう》の縁《えん》

つ　月夜《つきよ》に釜《かま》をぬく(12)　月夜《つきよ》に釜《かま》をぬく

ね　念《ねん》には念《ねん》を入れ　猫《ねこ》に小判《こばん》

な　泣面《なきつら》に蜂《はち》　なす時《とき》の閻魔顔《えんまがお》(13)

ら　楽《らく》あれば苦《く》あり　来年《らいねん》の事《こと》をいえば鬼《おに》が笑《わら》う

む　無理《むり》が通《とお》れば道理《どうり》ひっ込《こ》む　馬《うま》の耳《みみ》に風《かぜ》

う　嘘《うそ》から出《で》た誠《まこと》　氏《うじ》より育《そだ》ち

ゐ　芋《いも》の煮《に》えたの御存知《ごぞんじ》ないか(14)　鰯《いわし》の頭《あたま》も信心《しんじん》から

の　咽元過《のどもとすぎ》れば熱《あつ》さ忘《わす》るる　鑿《のみ》といえば小槌《こづち》(15)

お　鬼《おに》に金棒《かなぼう》　鬼《おに》も十八《じゅうはち》(16)

く　臭《くさ》い物《もの》には蓋《ふた》をする　臭《くさ》い物《もの》には蠅《はえ》がたかる(17)

や　安物《やすもの》買《が》いの銭《ぜに》失《うしな》い　暗夜《やみよ》に鉄砲《てっぽう》

ま　負《ま》けるは勝《か》ち　播《ま》かぬ種《たね》は生《は》えぬ

け　芸《げい》は身《み》を助《たす》ける　下駄《げた》に焼味噌《やきみそ》(18)

ふ　文《ふみ》はやりたし書《か》く手《て》は持《も》たぬ　武士《ぶし》は喰《く》わねど高楊枝《たかようじ》

こ　子《こ》は三界《さんがい》の首《くび》っかせ　これに懲《こ》りよ道斉坊《どうさいぼう》(19)

え　えてに帆《ほ》を上《あ》げ(20)　縁《えん》の下《した》の力持《ちからも》ち

て　亭主《ていしゅ》の好《す》きな赤烏帽子《あかえぼし》(21)　寺《てら》から里《さと》へ(22)

あ　頭《あたま》かくして尻《しり》かくさず　足《あし》の下《した》から鳥《とり》が立《た》つ(23)

さ　三遍《さんべん》まわって煙草《たばこ》にしょ(24)　竿《さお》のさきに鈴《すず》(25)

き　聞《き》いて極楽《ごくらく》見《み》て地獄《じごく》　義理《ぎり》とふんどしかかねばならぬ(26)

ゆ　油断大敵《ゆだんたいてき》　幽霊《ゆうれい》の浜風《はまかぜ》(27)

め　目《め》の上《うえ》のたん瘤《こぶ》　目《め》くらの垣《かき》のぞき

み　身《み》から出《で》た錆《さび》　身《み》は身《み》で通《とお》る裸《はだか》ん坊《ぼう》(28)

し　知《し》らぬが仏《ほとけ》　しわん坊《ぼう》の柿《かき》の種《たね》(29)

ゑ《ぇ》　縁《えん》は異《い》なもの味《あじ》なもの　縁《えん》と月日《つきひ》(30)

ひ　貧乏《びんぼう》ひまなし　瓢簞《ひょうたん》から駒《こま》

も　門前《もんぜん》の小僧習《こぞうなら》わぬ経《きょう》を読《よ》む　餅屋《もちや》は餅屋《もちや》

せ　背《せ》に腹《はら》はかえられぬ　聖《せい》は道《みち》によりて賢《かしこ》し(31)

す　粋《すい》は身《み》を食《く》う(32)　雀《すずめ》百《ひやく》まで踊忘《おどりわす》れず

京《きょう》

京《きょう》の夢《ゆめ》大阪《おおさか》の夢《ゆめ》

京《きょう》に田舎《いなか》あり (33)

(1) 一部分だけを見ては全体がわからない。(2) 思いがけずの粗相《そそう》は後の祭り。(3) 王の言葉は一度出したら引っ込められない。(4) 悪事を働くにも用意がいる。(5) 年下の未熟者に教えられることもある。(6) 自分よりわずかでもよい境遇の者をうらやむ。(7) 批判・中傷にもいっこうに平気でいる。(8) 一部分だけを見ては全体がわからない。(9) 実物以上に美人に見えるたとえ。(10) できっこないことをする甲斐性なし。(11) 長男は弟妹にくらべておっとりしている。(12) 明るい月夜に釜を盗まれる＝油断して失敗する。(13) 借金を返すときは閻魔のように怖い顔をする。(14) 芋の煮え方も知らぬほど実生活に疎い。(15) ノミと言われたらツチも持っていくほどに才知を働かせよ。(16) 鬼でも年ごろになると艶っぽい。(17) 悪事には汚い同類が集まる。(18) 焼き味噌を焼く板と下駄は似て非なるもの＝月とスッポン。(19) これに懲りて失敗を繰り返すな。(20) 得意な方向に帆を上げて進む＝順風満帆。(21) 常識はずれでも亭主の言い分は通る。(22) 寺から檀家《だんか》に贈り物とは物事あべこべ。(23) 身辺に意外な事態が起きてあわてる。(24) 休憩は任務を終えてからすべし。(25) 長い竿の先につけた鈴のようにおしゃべりが止まらない。(26) 義理とふんどしのようにどちらも欠かせないもの。(27) 海岸の強風にあおられる幽霊のように情けない様子。(28) それぞれ自分なりに世渡りはできるものだ。(29) ケチはつまらない物も捨てられない。(30) 良縁と浮き世の幸せな暮らしは気長に待て。(31) どの商売もそれを専門とする者がいちばん精通している。(32) ええかっこしいの末路は落ちぶれる。(33) よいところにも悪いところがある。

しゃれではないが、ことわざは、「技《わざ》としての言葉」である。技はいろいろな動きのなかで合理的で効果的な動きを集約したものだ。ことわざも、世の中で起こるさまざまな出来事に対する心構えや身の処し方のなかでもっとも基本となるものを集約した言葉だ。技は何度も反復して練習しているうちに必要なときに自在に繰り出すことができるようになったものを言う。短く覚えやすく、しかも普遍性が高いので、人生で繰り返しいろいろな状況で使える。「**六十の筵《むしろ》破り**（老年の女狂いの喩《たと》え。障子どころか筵を破る精力）」といった強烈なものまである。

なかでもいろはかるたは、日本のことわざの精髄とされる。戦前は今とは比較にならぬほど大人も子どももいろはかるたで遊んだ。かるたのことわざは家庭や社会の生活規範の役割も果たしていたと考えられる。『岩波ことわざ辞典』の著者の時田昌瑞《まさみず》は、子どもたちへの公《おおやけ》の言葉として教育勅語があったとしたなら、庶民の生活のなかから生まれた言葉としていろはかるたがあったと言う。

いろはかるたのすごいところは、子どもには意味のわからないものを平気で組み込んでいることだ。下品なものやキツイもの、現代では差別語と指弾《しだん》を浴びせられそうなものもある。「**二度あることは三度ある**」「**三度目の正直**」というように、内容的に矛盾したり対立したものも含む。この雑多なところが、人生の局面でいろいろな見方で思考を切り替える技としてことわざを使える力となっている。

八、物語《ものがたり》の世界《せかい》に浸《ひた》る

川端康成《かわばたやすなり》

『伊豆《いず》の踊子《おどりこ》』

道《みち》がつづら折《お》りになって、いよいよ天城峠《あまぎとうげ》に近《ちか》づいたと思《おも》う頃《ころ》、雨脚《あまあし》が杉《すぎ》の密林《みつりん》を白《しろ》く染《そ》めながら、すさまじい早《はや》さで麓《ふもと》から私《わたし》を追《お》って来《き》た。

『雪国《ゆきぐに》』

国境《くにざかい》の長《なが》いトンネルを抜《ぬ》けると雪国《ゆきぐに》であった。夜《よる》の底《そこ》が白《しろ》くなった。信号所《しんごうしょ》に汽車《きしゃ》が止《と》まった。

向側《むかいがわ》の座席《ざせき》から娘《むすめ》が立《た》って来《き》て、島村《しまむら》の前《まえ》のガラス窓《まど》を落《おと》した。雪《ゆき》の冷気《れいき》が流《なが》れこんだ。

『山《やま》の音《おと》』

尾形信吾《おがたしんご》は少《すこ》し眉《まゆ》を寄《よ》せ、少《すこ》し口《くち》をあけて、なにか考《かんが》えている風《ふう》だった。他人《たにん》には、考《かんが》えていると見《み》えないかもしれぬ。悲《かな》しんでいるように見《み》える。

川端康成の文章は黙読よりも、ラジオから流れてくる静かな朗読で味わうのが一番心に染み入る。一つ一つの言葉が、まるで音の宝石のようだ。金田一春彦に『雪国』の原文と英訳文を比較した文章がある。「雪国」と「スノウカントリー」のあいだにはニュアンスのズレがある。こうした「ズレ」を検証していくわけだが、英訳にするとこぼれ落ちてしまう語感にこそ川端康成の本領があることがわかり、面白い。川端の文章によってはじめて私は、美しい日本語とはどういうものかを知った。美しい日本語には、世界を官能的に捉える川端の身体感覚が溶け込んでいた。

私は十代の終わりにすっかり川端ワールドにはまってしまい、『山の音』の菊子にあこがれ、「娘が生まれたら名前は菊子だ」と決め、やがて『湖』や『眠れる美女』の妖しい世界までおつきあいさせていただいた。『伊豆の踊り子』はデビュー作らしくみずみずしい小説だ。川端自身の実体験にもとづいた小説で、踊り子との恋によって心が洗われていく。娘と別れたあと、頭が澄んだ水になり、それが涙となってぼろぼろこぼれ、甘い快さに浸る。『山の音』の主人公の老人は脳を洗濯に出してぐっすり眠ることを空想している。感じすぎる神経をきれいな水で洗い、癒すことは、川端にとって切なる願いであった。

『竹取物語《たけとりものがたり》』

いまは昔《むかし》、竹取《たけとり》の翁《おきな》といふ《う》もの有《あり》けり。野山《のやま》にまじりて竹《たけ》を取《と》りつゝ《つ》、よろづ《ず》の事《こと》に使《つか》ひ《い》けり。名《な》をば、さかきの造《みやつこ》となむ《ん》いひ《い》ける。その竹《たけ》の中《なか》に、もと光《ひか》る竹《たけ》なむ《ん》一筋《ひとすじ》ありける。あやしがりて寄《よ》りて見《み》るに、筒《つつ》の中光《なかひか》りたり。それを見《み》れば、三寸《さんずん》ばかりなる人《ひと》、いとうつくしうてゐ《い》たり。

日本の物語の「祖《おや》」と言われる『竹取物語』は、それまでの口承説話のいいところをうまく取り込んで一つの物語にまとめている。文学の魅力は素材の料理の仕方にあることを教えてくれる物語だ。「妻争い物語」や「天上憧憬説話《てんじょうしょうけいせつわ》」や仏教的教訓物語、貴族の風刺物語など、短い物語でありながら、その後の物語文学のさまざまな要素も入っている。

「いまは昔」で語りだされる物語の始まりには、「昔むかし」で始まる御伽噺《おとぎばなし》ののんきさにはない情感とリアリティがある。「今となってはもう昔のことになってしまったが」という慨嘆を「いまは昔」に凝縮させ、物語全体に情感を満たす方法は、過去を物語る魅力的な文学手法だ。

ところで、かぐや姫はなぜ竹の中にいたのであろうか。この問いに答えられる人はなかなかのものである。まじめに働いてきた子どものない老夫婦へのご褒美として天が遣わした、というだけではない。なんと、かぐや姫は月の都で罪を犯したので一時期、人間世界に遣わされたのである。この地上は流刑の地であったのか。では、かぐや姫が月の世界で犯した罪とは何だったのか。このあたりから、私の想像力は、SF伝奇的世界から火曜サスペンス劇場的世界へ流れていってしまう。

口語要約

今ではもう昔のこと、竹取のおきなと呼ばれる人がいた。野山に入って竹をとり、いろいろなことに使っていた。竹の中に根元の光る竹が一本あった。不思議に思い、近づいて見ると、三寸ほどの人がたいそうかわいらしい姿で坐っていた。

『源氏物語《げんじものがたり》』（桐壺《きりつぼ》）

紫式部《むらさきしきぶ》

いづ《ず》れの御時《おおんとき》にか。女御《にょうご》・更衣《こうい》あまたさぶらひ給《たま》ひ《い》けるなかに、いと、やむ《ん》ごとなき際《きわ》にはあらぬが、すぐれて時《とき》めき給《たま》ふ《う》ありけり。

はじめより、「われは」と、思《おも》ひ《い》あがり給《たま》へ《え》る御《おん》かた〴〵《がた》、めざましき者《もの》におとしめそねみたまふ《う》。おなじ程《ほど》、それより下臈《げろう》の更衣《こうい》たちは、まして、安《やす》からず。

この冒頭は白居易《はくきょい》の『長恨歌《ちょうごんか》』にヒントを得ているといわれるが、桐壺帝の寵愛《ちょうあい》を受けた更衣（光源氏の実母）のはかなげな様子がよく描かれていて印象的だ。幼い時期に母を亡くした光源氏は、亡き母に生き写しの藤壺（義母）を恋い慕うようになる。この道ならぬ恋の行方がこの長編の縦糸になっている。光源氏は藤壺に生き写しの少女を理想の妻（紫上《むらさきのうえ》）に仕立て上げる。生き写しの「二乗」だ。空蟬《うつせみ》・夕顔・明石上《あかしのうえ》・女三宮《おんなさんのみや》たちとの恋が物語の横糸になっている。『源氏物語』は世界最古の長編小説であるだけでなく、真の「世界文学」（ゲーテ）である。登場人物が質量ともに充実していて、一つの壮大な人間世界を構築している。細部の描写も巧みで、こまかな分析をしたくなる。まなざしや匂いのヴァリエーションだけで論文のテーマになるほどだ。欲望の三角関係も多彩だ。とくに六条御息所《ろくじょうのみやすんどころ》の怨霊は迫力がある。

光源氏は女性の理想が凝縮された究極の優男《やさおとこ》だ。血筋がよく万能なうえに、姿形が光り輝くように美しく、よい香りまでする。男さえも引きつける魅力が光源氏にはある。両性具有的《アンドロギユロス》な身体である。脂ぎったマッチョ男より芳香を放つ万能で趣味のよい男に日本女性がなびく傾向が『源氏物語』以来だとすれば、顔の脂を一生懸命に取る男の子が出るのも不思議ではない。

口語要約　いつの御世であったか、多くの女御・更衣がお仕えするなかに、身分は大したことなくて目立って寵愛を受ける方がいた。入内《じゅだい》当初から自分こそは寵愛をと思い決めていた女御方はその方を蔑《さげす》んだり貶《おとし》めたりし、同格や身分の低い更衣たちはいっそう心穏やかでない。

森鷗外《もりおうがい》

『舞姫《まいひめ》』

石炭《せきたん》をば早《は》や積《つ》み果《は》てつ。中等室《ちゅうとうしつ》の卓《つくえ》のほとりはいと静《しずか》にて、熾《し》熱燈《ねっとう》の光《ひかり》の晴《は》れがましきも徒《いたずら》なり。今宵《こよい》は夜毎《よごと》にここに集《つど》ひ来《く》る骨牌《カルタ》仲間《なかま》も「ホテル」に宿《やど》りて、舟《ふね》に残《のこ》れるは余《よ》一人《ひとり》のみなれば。

『山椒大夫《さんしょうだゆう》』

越後《えちご》の春日《かすが》を経《へ》て今津《いまづ》へ出《で》る道《みち》を、珍《めず》らしい旅人《たびびと》の一群《ひとむれ》が歩《ある》いている。母《はは》は三十歳《さんじっさい》を踰《こ》えたばかりの女《おんな》で、二人《ふたり》の子供《こども》を連《つ》れている。姉《あね》は十四《じゅうし》、弟《おとうと》は十二《じゅうに》である。それに四十《しじゅう》位《くらい》の女中《じょちゅう》が一人《ひとり》附《つ》いて、草臥《くたび》れた同胞《はらから》二人《ふたり》を、「もうじきにお宿《やど》にお著《つき》なさいます」と云《い》って励《はげ》まして歩《ある》かせようとする。二人《ふたり》の中《なか》で、姉娘《あねむすめ》は足《あし》を引《ひ》き摩《ず》るようにして歩《ある》いているが、それでも気《き》が勝《か》っていて、疲《つか》れたのを母《はは》や弟《おとうと》に知《し》らせまいとして、折々思《おりおりおも》い出《だ》したように弾力《だんりよく》のある歩附《あるきつき》をして見《み》せる。

森鷗外（鷗外は雅号、本名は林太郎）は、近代日本の屋台骨を担ったエリート官僚であった。陸軍軍医総監までのぼりつめているので、医者としては出世を極めたと言える。日本の多様な文化的伝統に通じると同時に、ヨーロッパ世界と対等に対話しうる教養を持った知的巨人だ。鷗外は、津和野藩主の典医《てんい》をつとめた家の長男に生まれた。この名家の長男として受ける圧力が、『舞姫』のドラマの背景にある。相手の女性エリスの立場からすれば、なんともならない男だが、明治時代の家と陸軍という社会制度のしがらみには強力なものがあった。それだけに、遺言書の中で「**余ハ石見人《いわみじん》森林太郎トシテ死セント欲ス**」と書いたのは印象的だ。エリート官僚としての官職や鷗外という雅号を捨てたところに、鷗外の背負って生きたものの重さを感じる。

『山椒大夫』は、子どもの頃に『安寿と厨子王《あんじゆずしおう》』の物語を読んで恐ろしさを感じて以来気になる作品だ。人さらいや人買いという者がいるのだと、この物語で初めて知った。溝口健二監督の映画『山椒大夫』も印象的な作品だ。

夏目《なつめ》漱石《そうせき》

『夢十夜《ゆめじゅうや》』

こんな夢《ゆめ》を見《み》た。

腕組《うでぐみ》をして枕元《まくらもと》に坐《すわ》っていると、仰向《あおむき》に寝《ね》た女《おんな》が、静《しず》かな声《こえ》でもう死《し》にますと云《い》う。女《おんな》は長《なが》い髪《かみ》を枕《まくら》に敷《し》いて、輪廓《りんかく》の柔《やわ》らかな瓜実顔《うりざねがお》をその中《なか》に横《よこ》たえている。

『草枕《くさまくら》』

山路《やまみち》を登《のぼ》りながら、こう考《かんが》えた。

智《ち》に働《はたら》けば角《かど》が立《た》つ。情《じょう》に棹《さお》させば流《なが》される。意地《いじ》を通《とお》せば窮屈《きゅうくつ》だ。兎角《とかく》に人《ひと》の世《よ》は住《す》みにくい。

『坊《ぼ》っちゃん』

親譲《おやゆず》りの無鉄砲《むてっぽう》で小供《こども》の時《とき》から損《そん》ばかりしている。小学校《しょうがっこう》に居《い》る時分学校《じぶんがっこう》の二階《にかい》から飛《と》び降《お》りて一週間程腰《いっしゅうかんほどこし》を抜《ぬ》かした事《こと》がある。

『吾輩《わがはい》は猫《ねこ》である』

吾輩《わがはい》は猫《ねこ》である。名前《なまえ》はまだ無《な》い。どこで生《う》まれたか頓《とん》と見当《けんとう》がつかぬ。何《なん》でも薄暗《うすぐら》いじめじめした所《ところ》でニャーニャー泣《な》いていた事《こと》だけは記憶《きおく》している。

漱石は、近代日本の悩みを一身に背負い込んだ奇特な人物である。近代化する日本の精神的な課題は、詰まるところ、儒教や禅を軸とした古い日本人のままでは立ち行かないが、かといって西洋的な自我のあり方をそのまま持ってくることもできないというものだった。漱石はいま読んでも古くない。高校生でも漱石に共感できる。それは漱石が自分の死後百年以上にわたってつづく精神的な課題を強靭な足腰と背骨で背負っていたからだ。

漱石の足腰の強さは、和漢洋の素養だ。『坊っちゃん』の江戸っ子言葉に代表される日本の話し言葉の伝統や漢学の素養、その上に英文学がくる。これだけの素養が、むき出しの形ではなく、漱石スタイルにこなれて生かされている。漱石の文章が今の私たちにも読みやすいのは、私たちの今の書き言葉が漱石を土台にしてできているからである。ドイツ語は、ルターとゲーテによってその後の思想・文学が花開く土台がつくられた。漱石の作品は、日本語の書き言葉の様式という次元で、決定的な影響を与えつづけてきた。漱石を読んだことがない人の文章にも、漱石のつくった日本語のスタイルは忍び込んでいるのである。

近現代日本の精神的課題を背負い込めた背骨とは、「徳義的背骨」（和辻哲郎）だ。倫理の中心軸が通っている。『それから』では、腹に胆力《たんりよく》のある父と頭が神経過敏な子（代助）との対比が描かれている。漱石は古い「肚《はら》の日本人」と新しい「頭の日本人」とをつなぐ橋となった。私たちは知らぬ間にその橋を渡っているのである。

梟《ふくろう》の神《かみ》の自《みずか》ら歌《うた》った謡《うた》『銀《ぎん》の滴《しずく》降《ふ》る降《ふ》るまわりに』　アイヌ神謡《しんよう》

「銀《ぎん》の滴《しずく》降《ふ》る降《ふ》るまわりに、金《きん》の滴《しずく》
降《ふ》る降《ふ》るまわりに。」という歌《うた》を私《わたし》は歌《うた》いながら
流《ながれ》に沿《そ》って下《くだ》り、人間《にんげん》の村《むら》の上《うえ》を
通《とお》りながら下《した》を眺《なが》めると
昔《むかし》の貧乏人《びんぼうにん》が今《いま》お金持《かねもち》になっていて、昔《むかし》のお金持《かねもち》が
今《いま》の貧乏人《びんぼうにん》になっている様《よう》です。
海辺《うみべ》に人間《にんげん》の子供《こども》たちがおもちゃの小弓《こゆみ》に

おもちゃの小矢《こや》をもってあそんで居《お》ります。
「銀《ぎん》の滴《しずく》降《ふ》る降《ふ》るまわりに
金《きん》の滴《しずく》降《ふ》る降《ふ》るまわりに。」という歌《うた》を
歌《うた》いながら子供等《こどもら》の上《うえ》を
通《とお》りますと、（子供等《こどもら》は）私《わたし》の下《した》を走《はし》りながら
云《い》うことには、
「美《うつく》しい鳥《とり》！　神様《かみさま》の鳥《とり》！
さあ、矢《や》を射《い》てあの鳥《とり》
神様《かみさま》の鳥《とり》を射当《いあ》てたものは、一《いち》ばんさきに取《と》った者《もの》は
ほんとうの勇者《ゆうしゃ》、ほんとうの強者《つわもの》だぞ。」

アイヌ語は元来、文字を持たない。口承によって伝えられてきた文化は侵略にあうと絶滅の危機に瀕する。先祖からの伝承を『アイヌ神謡集』にまとめたアイヌ人の知里幸恵《ちりゆきえ》は、こう言う。「愛する私たちの先祖が起伏す日頃互いに意を通ずる為に用いた多くの言語、言い古し、残し伝えた多くの美しい言葉、それらのものもみんな果敢《はか》なく、亡びゆく弱きものと共に消失せてしまうのでしょうか。おおそれはあまりにいたましい名残惜しい事で御座います。アイヌに生まれアイヌ語の中に生いたった私は、雨の宵、雪の夜、暇ある毎に打集って私たちの先祖が語り興じたいろいろな物語の中極《うちご》く小さな話の一つ二つを拙ない筆に書連ねました」

アイヌの神謡にはアイヌ民族の固有の世界観が凝縮されている。アイヌとは人のことであり、カムイが神のことである。神謡（カムイ・ユーカラ）は、神が一人称で自分の体験を語るスタイルだ。この物語も、矢に射落とされて死んだフクロウの神様自身が、矢を放った貧しい子どもの家に飾られて富をもたらした話をする。カムイとは、「人間にはない力を持ったものすべて」をさす。たとえば鳥たちは人間にはない空を飛ぶ力を持っている。サルルンカムイ（丹頂鶴《たんちょうづる》）は、「湿原の神」という意味だ。カムイがいないと人間は困ると同時に、カムイのほうも人間を必要としている。神謡には繰り返し歌う「サケへ」がつくことが多い。各句の冒頭に「ワウォリ」などを繰り返し組み込んでいく。このサケへがアイヌ神謡に独特のリズムを与えている。

『蜘蛛《くも》の糸《いと》』

芥川龍之介《あくたがわりゅうのすけ》

或日《あるひ》の事《こと》でございます。御釈迦様《おしゃかさま》は極楽《ごくらく》の蓮池《はすいけ》のふちを、独《ひと》りでぶらぶら御歩《おある》きになっていらっしゃいました。池《いけ》の中《なか》に咲《さ》いている蓮《はす》の花《はな》は、みんな玉《たま》のようにまっ白《しろ》で、そのまん中《なか》にある金《きん》色《いろ》の蕊《ずい》からは、何《なん》とも云《い》えない好《よ》い匂《におい》が、絶間《たえま》なくあたりへ溢《あふ》れております。極楽《ごくらく》は丁度《ちょうど》朝《あさ》なのでございましょう。

『杜子春《とししゅん》』

或春《あるはる》の日暮《ひぐれ》です。

唐《とう》の都洛陽《みやこらくよう》の西《にし》の門《もん》の下《した》に、ぼんやり空《そら》を仰《あお》いでいる、一人《ひとり》の若者《わかもの》がありました。

『蜜柑《みかん》』

或曇《あるくも》った冬《ふゆ》の日暮《ひぐれ》である。私《わたくし》は横須賀《よこすか》発上《はつのぼ》り二等客車《にとうきゃくしゃ》の隅《すみ》に腰《こし》を下《おろ》して、ぼんやり発車《はっしゃ》の笛《ふえ》を待《ま》っていた。

『鼻《はな》』

禅智内供《ぜんちないぐ》の鼻《はな》と云《い》えば、池《いけ》の尾《お》で知《し》らない者《もの》はない。

秀でた額に鋭い目。親指と人差し指で細い顎を支え思索に耽る芥川の風貌は、知的で神経過敏な文学者のイメージそのものだ。センスのいい文章だが、明治二十五年の生まれだ。鷗外や漱石や露伴らの維新前後の生まれの文学者との二十数年の世代差が意外に大きな意味をもっている。芥川の身体の線の細さは、腰肚《こしはら》文化が衰退していく日本の運命を先取りしているかのようだ。

芥川の筆は剃刀《かみそり》だ。その剃刀で切り取られた断面は、表面からは見えにくい人間心理のあやをくっきりと見せてくれる。身売りされる姉が列車の窓から弟たちにみかんをばらまく情景（蜜柑）は、瞬間的な出来事だが永続的な力を持つ人生の断面だ。芥川は、大樹のような人生ではなく、瞬間の絵画のような人生の断面を愛した。彼の孤独は、「短距離走者の孤独」であった。

『草迷宮《くさめいきゅう》』

向《むこ》うの小沢《おざわ》に蛇《じゃ》が立《た》って、
八幡長者《はちまんちょうじゃ》の、おと娘《むすめ》、
よくも立《た》ったり、巧《たく》んだり。
手《て》には二本《にほん》の珠《たま》を持《も》ち、
足《あし》には黄金《こがね》の靴《くつ》を穿《は》き、
ああよべ、こうよべといいながら、
山《やま》くれ野《の》くれ行《い》ったれば…………

泉鏡花《いずみきょうか》

このおどろおどろしい冒頭文は、泉鏡花流の『悪魔の手毬歌《てまりうた》』だ。幼い頃に母が歌ってくれた手毬歌をもう一度聞きたいがために旅をする青年。「夢とも、現《うつつ》とも、幻とも……目に見えるようで、口にはいえぬ――そして、優しい、懐かしい、あわれな、情のある、愛の籠った、ふっくりした、しかも、清く、涼しく、悚然《ぞっ》とする、胸を掻挘《かきむし》るような、あの、恍惚《うっとり》となるような、まあ例《たと》えて言えば、芳《かんば》しい清らかな乳を含みながら、生まれない前《さき》に腹の中で、美しい母の胸を見るような心持の――唄なんですが、その文句を忘れたので、命にかけて、憧憬《あこが》れて、それを聞きたいと思いますんです」。しかし、歌に導かれて青年がたどり着いたのは、妖怪が棲む荒屋敷だった。これだけ聞けば横溝正史的世界だが、さすがに鏡花の名文は、タイトルどおり「幻想的な」草迷宮へと読む者を誘う。一草一木に鬼神力が宿ると信じていた鏡花ならではの、幻想世界が匂い立つ作品だ。

鏡花の文章は、語りの芸でもある。その裏には暗誦の文化があった。名作『歌行燈《うたあんどん》』の冒頭は、主人公が十返舎一九《じっぺんしゃいっく》の『東海道中膝栗毛』の一説を暗誦しながら登場する場面から始まる。これは鏡花自身が手元に置いて繰り返し読んだ本である。ふと何げなく名作の一節を口ずさむ。こうした文化は、精神世界に奥行きを与える。その奥行きには、美しい迷宮も広がる。物語の幻想世界は、一つの作品に閉じているのではない。いくつもの過去の名作や歌や語りが、物語世界に重層的に組み込まれている。鏡花の文体は、声を出して語るにふさわしい名文だ。

『古事記《ふることふみ》』（上巻《かみつまき》）

臣安萬侶《やつこやすまろ》言《まお》す。夫《それ》、混元既《まろかれすで》に凝《こ》りて、気象未《きざしいま》だ効《あらわ》れず。名《な》も無《な》く為《しわざ》も無《な》ければ、誰《たれ》か其《そ》の形《かた》を知《し》らむ《ん》。然《しか》あれども、乾坤初《あめつちはじ》めて分《わか》れて、参《みはしらの》神造化之首《かみむすいのはじめ》と作《な》れり。陰陽斯《めおここ》に開《ひら》けて、二《ふたはしらの》霊群品之祖《かみもろもろのおや》と為《な》れり。所以《そえに》、幽《よみじ》顕《うつせみ》に出入《いでい》りて、日《ひのかみ》月《つきのかみ》目《め》を洗《あら》ふ《う》に彰《あらわ》はれ、海水《うしお》に浮沈《うきしず》みて、神《あまつかみ》祇《くにつかみ》身《み》を滌《すす》くに呈《あらわ》はれたり。

『日本書紀《にほんしょき》』（巻第一《まきだいいち》）

古《いにしえ》に天地《あめつち》未《いま》だ剖《わか》れず、陰陽《めお》分《わか》れず、渾沌《こんとん》にして鶏子《とりのこ》の如《ごと》く、溟涬《めいけい》にして牙《きざし》を含《ふふ》めり。其《そ》の清陽《せいよう》なる者《もの》は、薄靡《たなび》きて天《あめ》に為《な》り、重濁《じゅうだく》なる者《もの》は、淹滞《とどこお》りて地《つち》に為《な》るに及《いた》りて、精妙《せいみょう》の合摶《ごうせん》すること易《たやす》く、重濁《じゅうだく》の凝竭《ぎょうけつ》すること難《かた》し。故《かれ》、天《あめ》先《ま》づ成《な》りて地《つち》後《のち》に定《さだ》まる。然《しか》して後《のち》に神聖《しんせい》其《そ》の中《なか》に生《な》れり。

創世神話のおよその線は共通している。まず混沌《カオス》があって、つぎには重いものが沈んで固まって地となり、軽いものが天空となって天地に分かれ、そこに神が生まれる。男と女、善と悪などさまざまな二項対立があるなかで、天と地が初めにくるところに、人間にとっての重力の絶対的な重要性が感じられる。

中国の編年体の史書を範とした日本最古の正史『日本書紀』に対して、『古事記』は語りの神話を文字に著したもので、口承・暗誦文化の所産だ。天武天皇が稗田阿礼《ひえだのあれ》に詠み習わせた神話・説話を約二十五年後に文字にするという荒技《あらわざ》も口承文化の伝統があればこそである。

口語要約

【古事記】臣安萬侶が申すには、根元は凝固したが、気も象も出現せず、名づけも動きもせぬ以上、誰がその姿を知っていよう。しかしながら天地が初めて分かれて、三神が万物の始まりとなり、陰陽が分かれて二神がすべてのものの産みの親となった。二神が黄泉《よみ》の国と現世を出入りし目を洗うと、日神と月神が現れ、海水が浮き沈みして禊《みそぎ》をすると神々が現れた（三神は世界の中心の神である天之御中主神《あめのみなかぬしのかみ》、さまざまなものをつくる高御産巣日神《たかみむすびのかみ》と神産巣日《かみむすび》神《かみ》。二神は男神の伊邪那岐神《いざなぎのかみ》と女神の伊邪那美神《いざなみのかみ》）。

【日本書紀】昔、天地も陰陽も分かれず、混沌のさまは鶏の卵のようで、ほの暗さの中に物事が生まれようとする兆しを含んでいた。それの澄んで明るいものが薄くたなびいて天となり、重く濁ったものが固まって土となる際に、澄んだのが丸く集まるのは容易だが、重く濁ったのが固まるのはむずかしく、天が先にできて、のちに地が定まり、そのあと神がその中に生まれた。

おわりに——身体をつくる日本語

暗誦・朗誦文化の衰退

いま、暗誦文化は絶滅の危機に瀕している。かつては、暗誦文化は隆盛を誇っていた。つい数十年前まででも、暗誦している自分の好きな漢詩を大きな声で朗誦したり、芝居の名ゼリフをふだんの生活のなかで口にしたりということは、とりたてて珍しいことではなかった。

しかし、現代の日本では、詩や名文を暗誦したり朗誦することが、当たり前ではなくなってきた。大学生に好きな詩や文で暗誦できるものを持っているかを聞いたところ、五パーセント以下という結果が出た。実際には、もう少し多くの割合の人が暗誦した詩や名文を持っているかもしれないが、このように聞かれてさっと頭にいくつかの詩文・名文が思い浮かぶということは少ないようだ。

小学校の授業においても、暗誦や朗誦の比重は低くなってきているように思われる。詩の授業を参観しても、その詩を声に出して朗読したり暗誦したりすることはあまりおこなわれず、詩の解釈に時間が割かれることが多い。詩は、朗誦したり暗誦したりすることにこそ魅力がある。意味を優先させるあまりに、小中学校の国語の教科書には簡単なものしか載せなくなってきている。日本語を体得するという観点からすると、子どもの頃に名文と出会い、それを覚え、身体に染み込ませることは、その後の人生に莫大なプラスの効果を与える。意味を解釈したとしても、暗誦できていないとすれば、その詩や名文の威力は半減してしまう。

文章の意味はすぐにわからなくてもいい。長い人生のプロセスのなかで、ふと意味のわかる瞬間が訪れればいい。こうしたゆったりとした構えが、文化としての日本語を豊かにする。暗誦が衰退した背景には、暗誦文化が受験勉強の暗記と混同されたという事情がある。年号の暗記や些末な知識の詰め込みに対しての拒否反応が強かったために、覚えること自体が人間の自由や個性を阻害するものと思い込まれた。しかしこれは、言われなき混同である。暗誦は、些末な知識の暗記とはまったく異なる文化的営為であるからだ。

現代日本ほど、暗誦文化をないがしろにしている国は稀なのではなかろうか。イギリスではシェイクスピアやバイロンが、フランスではラシーヌなどが、学校教育でも暗誦され、国民の共通の文化となっている。アジアや南アメリカ、アフリカといったところでも、口承文化が色濃く残っている。口から口へ世代を超えて継承される言葉がある。それは文字に書かれたものを黙読するという文化ではなく、人の生きた身体を通して語られる言葉が、もう一人の身体へと伝えられていくプロセスである。

みなが共通の古典テキストを暗誦していることによって、ふだんのコミュニケーションにも奥行きが出てくる。何げない日常のやりとりのなかに、ふとシェイクスピアが引用されたり、ゲーテの言葉が引き合いに出されたりすることによって、日常の会話が深い文化・伝統につながり、豊かな意味が醸しだされる。

先日、明治神宮でおこなわれた北米インディアンの子孫たちとアイヌ民族との合同の口承文化の催しに行った。そこでは、民族の歴史が物語として染み込んだ歌が、世代を超えて継承されていた。民族はたとえ違っても、伝統として口承文化を持っている点において共感が生まれていた。その口承文化にとって重要なのは、リズムやテンポである。太鼓をたたきながら、あるいは踊りを踊りながら口ずさむ言葉は、その言葉の意味が直接わからない私たちの胸にも染み込む力を持っていた。会の終わりのほうでは、日本人の若者が多数ステージに上がり、いっしょに踊りながら声を出していた。数百人の若者がこうした口承文化の催しに集まっているのを目の当たりにして、暗誦・口承文化は完全に絶滅したわけではなく、それを求める気運もあるのだと感じた。

身体に活力を与える言葉

私がこの本を編んだねらいは、もちろん暗誦・朗誦文化の復活にあるわけだが、実はその大元には身体文化のルネッサンスというヴィジョンがある。この本に採録されたものは、文語体のものがほとんどである。古い言葉遣いには、現代の日常的な言葉遣いにはない力強さがある。身体に深く染み込むような、あるいは身体に芯が通り、息が深くなるような力が、このテキストに収めた言葉にはある。

もちろん、たんに古ければいいというものではない。歴史のなかで吟味され生き抜いてきた名文、名文句を私たちのスタンダードとして選んだ。声に出して詠み上げてみると、そのリズムやテンポのよさが身体に染み込んでくる。そして、たんに染み込むだけでなく、身体に活力を与える。それはたとえしみじみとしたものであっても、心の力につながっている。

私は日本の伝統的な文化の柱として、〈腰肚《こしはら》文化〉と〈息の文化〉の二つを挙げたことがある（『身体感覚を取り戻す』NHKブックス）。かつては、腰を据えて肚を決めた力強さが、日本の生活や文化の隅々にまで行きわたっていた。腰や肚を中心として、自分の存在感をたしかに感じる身体文化が存在していた。

この腰肚文化は、息の文化と深く結びついている。深く息を吸い、朗々と声を出す息の文化が、身体の中心に息の道をつくる。腰肚を据えるということも、横隔膜を下げて深く呼吸をすること抜きには意味をなさない。身体全体に息を通し、美しい響きを持った日本語を身体全体で味わうことは、ひとつの重要な身体文化の柱であった。

ここに採録したものは、どれも息の技によって魅力が増すものばかりだ。ただ詠み上げてみてもさしておもしろくはない。息の間《ま》を工夫してリズムや響きを楽しむように工夫することによって魅力が増してくる。

朗誦することによって、その文章やセリフをつくった人の身体のリズムやテンポを、私たちは自分の身体で味わうことができる。それだけでなく、こうした言葉を口ずさんで伝えてきた人々の身体をも引き継ぐことになる。世代や時代を超えた身体と身体とのあいだの文化の伝承が、こうした暗誦・朗誦を通しておこなわれる。

世代を超えた共通のテキストを持つことは、世代間の信頼関係を強める効果がある。自分が大切に思い暗誦しているものを、子どもや孫の世代が暗誦し身体に内在化させているとすれば、そこに信頼感や安心感が生まれる。それが古典のよさである。現在はポップスが若者のあいだでは全盛である。歌は、時代を超えて普遍的な人気を誇っているのがよくわかる。しかし、現在の若者のポップスは、数十年の世代差を超えて共有されるものとはなり得ていない。音楽産業の事情もあり、回転も速い。世代が五歳も違えば、愛唱する歌がずれることもよくある。

採録にあたっては、明治生まれ以前の作者によってつくられたものを基準とした。風雪に耐えてきた実績を重んじるとともに、明治までの日本人が持っていた感性や気概や美意識を直接感じやすくするというねらいがあった。現在の七十代の人たちには、かなりの程度、暗誦・朗誦文化が残っている。ふとした会話のなかに、論語や禅の言葉や俳句や和歌が差し込まれたりすることがある。

そうした瞬間に感じるのは、知的文化の伝統という以上に、身体文化の伝統だ。言葉が身体に技となって身についている。それに大きな意味がある。そうした言葉が身体の内から発せられるときに、その人の存在感が増すように感じられる。身について技となっているかどうか。これが大きな分かれ目である。身についたものは、当人も知らないあいだに心身のあり方に影響を与えている。

最高の文章を型として身につける

暗誦文化は、型の文化である。型の文化は、強力な教育力を持っている。一度身につけてしまえば、生涯を支える力となる。日本語の感性を養うという観点から見れば、暗誦に優るものはない。最高のものを自分の身の内に染み込ませることによって、日本語の善し悪しが感覚としてわかるようになる。モーツァルトを聴くことで、音楽の質を感じとる感性が養われるように、最高級の日本語にはじめから出会う必要がある。

幼い頃に、意味のわからない文章を覚えさせるのは拷問とも言える強制だという考え方がある。私はこうした考えに与《くみ》しない。できるだけ早い時期に最高級のものに出会う必要があるとむしろ考える。意味がわかるのはあとからでもよい。たとえ意味がわからなくとも、その深みや魅力は伝わるものだ。よしんばそのときに魅力を感じなかったとしても、後年それを覚えたことに感謝する時が来る。また、それだけの魅力を持ったものが暗誦・朗誦される価値を持つ。

モーツァルトのような最高の音楽を幼児や胎児にまで聴かせるのは常識になりつつある。絵においても、最高の名画を子どもの頃に見させるという考えも一般的だ。なぜ言葉に関してはそうはならないのか。小中学校の国語の教科書は、漢字の問題や内容理解の問題から、端的に言って、きわめて幼稚なものとなっている。漱石や鷗外も中学校の教科書から消えることとなった。その代わりに、マンガや現代のポップスが採り入れられたりしている。

母国語の強い顎をつくる

内容をやさしくし、若い人々に迎合するような、このような変革に対して、私は断固反対である。

硬いものを食べてこそ、顎は強くなる。強い顎があれば、硬いものも柔らかいものもかみ砕くことができるが、弱い顎では硬いものに含まれる栄養分を吸収することはできない。子ども時代は栄養摂取の面だけでなく、強い顎を形成すること自体が主なねらいとされるべきだ。言葉の面で言えば、ここに採録した言葉は硬く滋養にあふれたものばかりだ。こうしたものを暗誦するということは、母国語の強い顎をつくることになる。この本に採った文章は、かめばかむほど味が出る。しかも、顎を鍛えてくれる。つまり、「するめ」である。

現在、英語のコミュニケーション能力や情報ツールの使い方が重要な力として叫ばれつつあるが、私はすべての活動において基本になるのは母国語能力だと考えている。私たちは、基本的に母国語で思考する。母国語で明晰な思考ができないのに、外国語でそれができるということはありえない。もちろん、バイリンガル的能力を否定しようとしているのではない。その言語の持つ文化的な力がしっかりと自分の技となっているかどうかが問題なのだ。日本語の持つ力の何パーセントを引き出し得ているのか。こうした問いを立てたならば、「ムカツク」の一語でほとんどの否定的感情をまかなってしまうケースなどは、おそらく一割以下の力しか日本語から引き出し得ていないということになるのではないか。

こうした優れた日本語をリズムとして自分の身体に染み込ませていくと、その後には自分の潜在的な日本語力はアップしている。優れた音楽が感性として身についている人が、出来の悪い音楽に耐えがたさを感じるように、優れた日本語を身体に技化《わざか》した人においては、日本語を評価する基準は高くなる。

子どもは言葉のリズムを楽しむ

幼い時期、たとえば小学校就学以前の子どもに、漢詩や和歌を暗誦させるということは、果たして拷問であろうか。あるいは、そのようなことがそもそもできるのであろうか。こうした疑問に対する一つの実践的な解答として、私は大阪のパドマ幼稚園の実践に出会った。そこでは、年少組から漢詩を速いテンポで朗読・暗誦していた。年少組や年中組の子どもが李白や杜甫の詩を大きな声で暗誦・朗誦する様は、衝撃的であった。その衝撃はけっして嫌な感じのものではなく、むしろ小気味よいものであった。子どもたちの表情は生き生きとしており、速いテンポでそうした調子のいい詩文を朗誦することを、からだごと楽しんでいるのがはっきりとわかった。これは、詰め込み式の早期教育とは一線を画する実践である。

本当に質の高いものに幼い頃に触れる。そのことが、おそらく五十年後、六十年後になっても人生を豊かにしつづける。なかでも驚いたのは、年長組では、般若心経を全文暗誦している子どもがかなりいたことだ。もちろん、クラス全員で言うので、途中間違うことがあっても、まわりの力に助けられて最後まで行き着くということもある。しかし、基本的には下を向いて詠み上げるのではなく、前を向いたまま般若心経を最後までクラス全体で朗誦する様は壮観であった。般若心経の意味がわかるのは、老年になってからかもしれない。いや、完全にわかるということは、むしろ生涯ないのかもしれない。それでも、幼児期に般若心経を全文暗誦したことの意味は大きい。

子どもは、大人以上に身体が柔らかい。リズムやテンポを楽しむ身体感覚が優れている。蕪村や一茶の俳句や宮沢賢治の詩を暗誦している幼児を見ると、それが彼らの身体を喜ばすことになっていると感じる。やり方によっては、もちろん無味乾燥な強制になってしまうこともある。暗誦文化を継承するにも、コツがある。むやみやたらと強制すればいいというものではない。暗誦すべきものを厳選し、子どもの場合はテンポよく、しかも間違いを気にすることなく毎日日課として繰り返す。そのような工夫が必要である。年少組から年長組まで日課として毎日数分間ずつでも繰り返されることによって、最高の日本語が生涯失われない技として身につくことになる。授業で数時間解釈をしたというのとはまったく違う効果がある。

最高のものを型として反復練習し、自分の技として身につける。このことは、教育の基本である。ある程度の強制力を持ってでも伝え、身につけさせるべき何かを持たないのならば、そもそも教育をおこなうべきではない。生涯にわたって意味を発しつづける豊かな文化を、身体に技として染み込ませるだけの意志の強さと迫力が、教師には求められる。

ライフサイクルと暗誦文化

私も含めて現在の日本の三十代、四十代の世代は、すでに暗誦文化が衰退している世代だ。直接口伝えで子どもに暗誦文化を伝えていくことはむずかしい。すべてが自分のなかにあるというわけではないので、そうしたテキストがほしくなる。このテキスト集を編むことになったきっかけも、私が自分の子どもに日本語の暗誦をさせたいと思ったときに、適当なテキストがなかったというところからはじまっている。

高校の古典の教科書や国語便覧はかなりの程度役に立つが、小学生が詠み上げることができるように総ルビがふられているわけではない。また、選択の基準が暗誦におかれていないこともあって、いかにも古典の教科書という網羅的な感がある。落語や歌舞伎や言葉遊び、あるいは禅や世阿弥などの思想的な言葉は、学校教育から抜け落ちがちなものだ。こうしたものも拾いながら、身体感覚の伝統を引き継ぐことになるようなものをとりあげることとした。

たとえば、式亭三馬の『浮世風呂』などは、テンポがよく、しゃれも多く含んだ楽しいものだが、同時に風呂で肌と肌が触れ合うような温かみや面白味も伝わってくる。今は失われつつある風呂での肌が触れ合うコミュニケーションのよさが、言葉の雰囲気から伝わればうれしい。他のものでも、ついからだが動き出すような勢いや魅力を持ったものをできるだけ選ぶことにした。

しみじみと自分自身の奥深くに向き合ったり、ロマンティックなあこがれに身を浮き立たせたりといった感性も大切にした。こうした感性は、とくに思春期に顕著になるものだ。自我に目覚め、恋心やあこがれが沸き立つこの時期に、優れた詩に出会うことは、生涯の思い出にもなる。私自身、思春期に無性に暗誦をしたくなったときがある。

人は老いていく。老いることは必ずしも寂しいことばかりではないだろうが、やはり寂しさが伴うものであろう。老いていくなかで、ふと幼少の頃に覚えた言葉が口をついて出てくるということがあれば、それは非常な喜びである。私は七十代の方々のゼミを数年間担当していたことがあるが、その方々が子どもの頃に覚えた言葉を今でもすらすらと言えることに驚いた。そして、そうした言葉を朗誦しているときの、その方々の顔が喜びにあふれているのを目の当たりにした。

幼少の頃と老年の現在の自分とが言葉によって結びつけられている。これはまさに人生が一つの円環《サイクル》をなしていることにほかならない。ライフサイクルは、暗誦文化によって現実のものとなっている。幼少の頃の自分が数十年の時を隔てても、自分の中に生きつづけていると感じられることは、人生を貫き流れる川を自分の中に感じることともなる。この一貫した流れの感覚は、自分の人生を肯定する力となるのではなかろうか。

「はじめに」のところで述べた「日本語の宝石を身体に埋めておく」というのは、このことである。年齢を重ねていく自分への贈り物として、日本語の宝石を身体に内在化させておく。幼い子どもは自分でそうした暗誦文化を発明することはできない。誰かがそうした文化を身につけさせてやる必要がある。それが生涯の宝物となるような内容と方法を工夫して臨めば、暗誦文化は高齢社会を迎えた日本において、重要な生涯教育となる。

あとがき

できあがってみれば、どうということはないスタンダードな本かもしれませんが、実際の作業としては当初の予想をはるかに上回る手間がかかりました。それだけに出版できてほっとしています。学問的な専門書ではなく、暗誦・朗誦がしやすいテキストとすることをねらいとしました。

まず、この本に採録する際の出典となった書物をまとめられた先人の方々の努力に深く感謝いたします。

この本が形になるにあたっては、三村恵子さんに全面的にお世話になりました。そもそもこの企画が成立したのは、三村さんが私のところに取材に来たときに、私が「子どもに暗誦をさせているが、適当なテキストがなくて困っている」ということを話した折に、「それならばそういうものを編まれてはどうですか」と勧めてくれたのが出発点でした。その後、文章の選択や口語要約等さまざまな面で力になっていただきました。ありがとうございました。草思社の木谷東男編集長と編集の相内亨さんには、編集作業において大変お世話になりました。この本の編集には、意外にこまごました作業が必要とされたので、通常の本づくりよりも多くの手間をかけていただきました。感謝いたします。執筆にあたってのさまざまな作業において、嶋田恭子さんに大変お世話になりました。またむずかしかった章立て（グループ分け）に関しては、明治大学の私のゼミのＯＢのみなさんとの共同作業で乗り切ることができました。ありがとうございました。

明治大学名誉教授の北田耕也先生には、暗誦文化を身をもって教えていただきました。私の静岡高校時代の恩師の小倉勇三先生は、授業において暗誦文化を実践されていて、私は強い影響を受けました。小倉先生には、校正の際、目を通していただきました。この本も小倉先生が編まれたほうがもっとよいものになったのではないかという思いもありますが、先生の素晴らしい国語教育への感謝のしるしとして捧げさせていただきたいと思います。ありがとうございました。

なお、私は、暗誦・朗誦をメニューの一つにした私塾を開くことにしました。身体文化を基盤にした新しい学習カリキュラムを実践するつもりです。詳しくはホームページ（http://www.kisc.meiji.ac.jp/~saito/）をご覧ください。

二〇〇一年七月吉日

齋藤《さいとう》 孝《たかし》

【主な参考文献および出典】
（音読のしやすさを優先するため、表記に変更を加えさせていただいたものがあります）

弁天娘女男白浪　〈演劇界〉出版部編「芝居名せりふ集」（演劇出版社）
風の又三郎　「宮沢賢治全集７」（ちくま文庫）
高原　「宮沢賢治全集１」（ちくま文庫）
がまの油　興津要編「古典落語・下」（講談社文庫）
平家物語　「新編日本古典文学全集45」（小学館）
国定忠治　「芝居名せりふ集」（演劇出版社）
竹　「日本詩人全集14」（新潮社）
森の石松　安齋竹夫編著「浪曲事典」（日本情報センター）
不識庵機山を撃つの図に題す　佐々木孝吾・石田道孝編「定本詩吟集」（高橋書店）
そぞろごと　「青鞜」第一巻第一号（青鞜社）
すゑひろがり　笹野堅校訂「能狂言・上」（岩波文庫）
元二の安西に使するを送る　「定本詩吟集」（高橋書店）
般若波羅蜜多心経　金岡秀友校注「般若心経」（講談社学術文庫）
初恋　「藤村詩集」（新潮文庫）
万葉集　中西進「万葉集」（講談社文庫）
啄木歌集　久保田正文編「啄木歌集」（岩波文庫）
土佐日記　品川和子全訳註「土佐日記」（講談社学術文庫）
更級日記　関根慶子訳注「更級日記」（講談社学術文庫）
海べの戀　佐藤春夫「春夫詩抄」（岩波文庫）
母　「現代詩文庫１０３４」（思潮社）
サーカス　「日本詩人全集22」（新潮社）
付け足し言葉　「ことば遊び辞典」（東京堂出版）
早口言葉　「ことば遊び辞典」（東京堂出版）
揺籃のうた　与田準一編「日本童謡集」（岩波文庫）
寿限無　「古典落語・下」（講談社文庫）
黄金虫　「日本童謡集」（岩波文庫）
五行・十干・十二支・十二か月　「国民百科事典」（平凡社）
春の七草　「大百科事典」（平凡社）
秋の七草　「万葉集」（講談社文庫）
小林一茶俳句集　丸山一彦校注「一茶俳句集」（岩波

文庫）
浮世風呂　「日本古典文学大系63」（岩波書店）
おもろさうし　外間守善校注「おもろさうし・上」（岩波文庫）
静夜思　前野直彬注解「唐詩選・下」（岩波文庫）
震災　「荷風全集11」（岩波書店）
曾根崎心中　「日本古典文学大系49」（岩波書店）
大漁　「日本童謡集」（岩波文庫）
方丈記　「日本古典文学大系30」（岩波書店）
荒城の月　堀内敬三・井上武士編「日本唱歌集」（岩波文庫）
春望　前野直彬監修「中国古典詩聚花」（小学館）
伊勢物語　大津有一校注「伊勢物語」（岩波文庫）
おくのほそ道　「日本古典文学大系46」（岩波書店）
雪　「日本詩人全集21」（新潮社）
枕草子　「日本古典文学大系19」（岩波書店）
夏は来ぬ　「日本唱歌集」（岩波文庫）
与謝蕪村俳句集　尾形仂校注「蕪村俳句集」（岩波文庫）
春暁　「唐詩選・下」（岩波文庫）
花　「日本唱歌集」（岩波文庫）
たけくらべ　「にごりえ・たけくらべ」（岩波文庫）
正岡子規歌集・句集　「日本近代文学大系16」（角川書店）「子規全集3」（講談社）
百人一首　「小倉百人一首」（田村将軍堂）
荘子　金谷治訳注「荘子　第一冊」（岩波文庫）
風姿花伝　野上豊一郎・西尾実校訂「風姿花伝」（岩波文庫）
五輪書　渡辺一郎校注「五輪書」（岩波文庫）
道程　「日本詩人全集9」（新潮社）
五重塔　幸田露伴「五重塔」（岩波文庫）
相撲言葉　日本相撲協会相撲博物館作成ファイル
正法眼蔵　水野弥穂子校注「正法眼蔵」（岩波文庫）
正法眼蔵随聞記　懐奘編・和辻哲郎校訂「正法眼蔵随聞記」（岩波文庫）
高砂　観世左近「観世流百番集」（檜書店）
鶴亀　観世左近「観世流百番集」（檜書店）
論語　吉川幸次郎「論語・上」（朝日選書）
ひゞのをしへ　「明治文学全集8」（筑摩書房）
偶成　「定本詩吟集」（高橋書店）
徒然草　西尾実・安良岡康作校注「徒然草」（岩波文庫）

歎異抄　伊藤博之校注「歎異抄　三帖和讃」（新潮日本古典集成）

四規七則　「裏千家入門必携」

いろはかるた　滑川道夫「新釈いろはかるた」（ぎょうせい）

伊豆の踊子ほか　川端康成「伊豆の踊り子」ほか（新潮文庫）

竹取物語　「日本古典文学大系9」（岩波書店）

源氏物語　「日本古典文学大系14」（岩波書店）

舞姫ほか　森鷗外「阿部一族・舞姫」ほか（新潮文庫）

夢十夜ほか　夏目漱石「文鳥・夢十夜」ほか（新潮文庫）

銀の滴降る降るまわりに　知里幸惠編訳「アイヌ神謡集」（岩波文庫）

蜘蛛の糸ほか　芥川龍之介「蜘蛛の糸・杜子春」ほか（新潮文庫）

草迷宮　泉鏡花「草迷宮」（岩波文庫）

古事記　「日本思想体系1」（岩波書店）

日本書紀　「新編日本古典文学全集2」（小学館）

声に出して読みたい日本語

著者との申し合わせにより検印廃止

2001年9月18日　第1刷発行
2002年9月12日　第77刷発行

著　者　齋藤　孝
装幀者　前橋隆道
発行者　木谷東男
発行所　株式会社 草思社
〒151-0051　東京都渋谷区千駄ヶ谷 2-33-8
電　話　営業 03 (3470) 6565　編集 03 (3470) 6566
振　替　00170-9-23552
印　刷　錦明印刷株式会社
製　本　大口製本印刷株式会社

ISBN 4-7942-1049-3
Printed in Japan

日本音楽著作権協会（出）許諾第 0110761-101 号

＊ 本書に掲載させていただいた文章の中で著作権継承者の方に連絡がつかないものがあります。お気づきになりましたら当編集部までご連絡ください。